"十四五"国家重点出版物出版规划项目
青少年科学素养提升出版工程

中国青少年科学教育丛书
总主编　郭传杰　周德进

赵宏洲　主编

科学在身边

浙江教育出版社·杭州

图书在版编目（CIP）数据

科学在身边 / 赵宏洲主编. -- 杭州：浙江教育出版社，2022.10（2024.5重印）
（中国青少年科学教育丛书）
ISBN 978-7-5722-3188-9

Ⅰ．①科… Ⅱ．①赵… Ⅲ．①科学知识－青少年读物 Ⅳ．①Z228.2

中国版本图书馆CIP数据核字（2022）第035271号

中国青少年科学教育丛书
科学在身边
ZHONGGUO QINGSHAONIAN KEXUE JIAOYU CONGSHU
KEXUE ZAI SHENBIAN

赵宏洲　主编

策　　划	周　俊	责任校对	高露露
责任编辑	李　剑	营销编辑	滕建红
责任印务	曹雨辰	美术编辑	韩　波
封面设计	刘亦璇		

出版发行　浙江教育出版社（杭州市环城北路177号　电话：0571-88909724）
图文制作　杭州兴邦电子印务有限公司
印　　刷　杭州富春印务有限公司
开　　本　710mm×1000mm　1/16
印　　张　11.5
字　　数　230 000
版　　次　2022年10月第1版
印　　次　2024年5月第3次印刷
标准书号　ISBN 978-7-5722-3188-9
定　　价　38.00元

如发现印、装质量问题，请与我社市场营销部联系调换。联系电话：0571-88909719

中国青少年科学教育丛书丛书编委会

总主编：郭传杰　周德进

副主编：李正福　周　俊　韩建民

编　委：（按姓氏笔画为序排列）

马　强　沈　颖　张莉俊　季良纲

郑青岳　赵宏洲　徐雁龙　龚　彤

《科学在身边》编委会

（按姓氏笔画为序排列）

主　编：赵宏洲

编　委：杨灵萍　房晶　赵润州

总序

高度重视科学教育，已成为当今社会发展的一大时代特征。对于把建成世界科技强国确定为21世纪中叶伟大目标的我国来说，大力加强科学教育，更是必然选择。

科学教育本身即是时代的产物。早在19世纪中叶，自然科学较完整的学科体系刚刚建立，科学刚刚度过摇篮时期，英国著名博物学家、教育家赫胥黎就写过一本著作《科学与教育》。与其同时代的哲学家斯宾塞也论述过科学教育的重要价值，他认为科学学习过程能够促进孩子的个人认知水平发展，提升其记忆力、理解力和综合分析能力。

严格来说，科学教育如何定义，并无统一说法。我认为科学教育的本质并不等同于社会上常说的学科教育、科技教育、科普教育，不等同于科学与教育，也不是以培养科学家为目的的教育。究其内涵，科学教育一般包括四个递进的层面：科学的技能、知识、方法论及价值观。但是，这四个层面并非同等重要，方法论是科学教育的核心要素，科学的价值观是科学教育期望达到的最高层面，而知识和技能在科学教育中主要起到传播载体的功用，并非主要目的。科学教育的主要目的是提高未来公民的科学素养，而不仅仅是让他们成为某种技能人才或科学家。这类似于基础教育阶段的语文、体育课程，其目的是提升孩子的人文素养、体能素养，而不是期望学生未来都成为作家、专业运动员。对科学教育特质的认知和理解，在很大程度上决定着科学教育的方法和质量。

科学教育是国家未来科技竞争力的根基。当今时代，经历了五次科技革命之后，科学技术对人类的影响无处不在、空前深刻，科学的发展对教育的影响也越来越大。以色列历史学家赫拉利在《人类简史》里写道：在人类的历史上，我们从来没有经历过今天这样的窘境——我们不清楚如今应该教给孩子什么知识，能帮助他们在二三十年后应对那时候的生活和工作。我们唯一可以做的事情，就是教会他们如何学习，如何创造新的知识。

在科学教育方面，美国在20世纪50年代就开始了布局。世纪之交以来，为应对科技革命的重大挑战，西方国家纷纷出台国家长期规划，采取自上而下的政策措施直接干预科学教育，推动科学教育改革。德国、英国、西班牙等近20个西方国家，分别制定了促进本国科学教育发展的战略和计划，其中英国通过《1988年教育改革法》，明确将科学、数学、英语并列为三大核心学科。

处在伟大复兴关键时期的中华民族，恰逢世界处于百年未有之大变局，全球化发展的大势正在遭受严重的干扰和破坏。我们必须用自己的原创，去实现从跟跑到并跑、领跑的历史性转变。要原创就得有敢于并善于原创的人才，当下我们在这方面与西方国家仍然有一段差距。有数据显示，我国高中生对所有科学科目的感兴趣程度都低于小学生和初中生，其中较小学生下降了9.1%；在具体的科目上，尤以物理学科为甚，下降达18.7%。2015年，国际学生评估项目（PISA）测试数据显示，我国15岁学生期望从事理工科相关职业的比例为16.8%，排全球第68位，科研意愿显著低于经济合作与发展组织（OECD）国家平均水平的24.5%，更低于美国的38.0%。若未来没有大批科技创新型人才，何谈到本世纪中叶建成世界科技强国！

从这个角度讲，加强青少年科学教育，就是对未来的最好投资。小学是科学兴趣、好奇心最浓厚的阶段，中学是高阶思维培养的黄金时期。中小学是学生个体创新素质养成的决定性阶段。要想30年后我国科技创新的大树枝繁叶茂，就必须扎扎实实地培育好当下的创新幼苗，做好基础教育阶段的科学教育工作。

发展科学教育，教育主管部门和学校应当负有责任，但不是全责。科学教育是有跨界特征的新事业，只靠教育家或科学家都做不好这件事。要把科学教育真正做起来并做好，必须依靠全社会的参与和体系化的布局，从战略规划、教育政策、资源配置、评价规范，到师资队伍、课程教材、基地建设等，形成完整的教育链，像打造共享经济那样，动员社会相关力量参与科学教育，跨界支援、协同合作。

正是秉持上述理念和态度，浙江教育出版社联手中国科学院科学传播局，组织国内科学家、科普作家以及重点中学的优秀教师团队，共同实施"青少年科学素养提升出版工程"。由科学家负责把握作品的科学性，中学教师负责把握作品同教学的相关性。作者团队在完成每部作品初稿后，均先在试点学校交由学生试读，再根据学生反馈，进一步修改、完善相关内容。

"青少年科学素养提升出版工程"以中小学生为读者对象，内容难度适中，拓展适度，满足学校课堂教学和学生课外阅读的双重需求，是介于中小学学科教材与科普读物之间的原创性科学教育读物。本出版工程基于大科学观编写，涵盖物理、化学、生物、地理、天文、数学、工程技术、科学史等领域，将科学方法、科学思想和科学精神融会于基础科学知识之中，旨在为青少年打开科学之窗，帮助青少年开阔知识视野，洞察科学内核，提升科学素养。

"青少年科学素养提升出版工程"由"中国青少年科学教育丛书"和"中国青少年科学探索丛书"构成。前者以小学生及初中生为主要读者群，兼及高中生，与教材的相关性比较高；后者以高中生为主要读者群，兼及初中生，内容强调探索性，更注重对学生科学探索精神的培养。

"青少年科学素养提升出版工程"的设计，可谓理念甚佳、用心良苦。但是，由于本出版工程具有一定的探索性质，且涉及跨界作者众多，因此实际质量与效果如何，还得由读者评判。衷心期待广大读者不吝指正，以期日臻完善。是为序。

2022 年 3 月

前言

　　古往今来，人类从自然界中发现和学到许多科学知识，从日常生活和生产中总结和积累了大量经验。现如今，尽管科学技术有了惊人的飞跃，但人类的发现和发明仍无止境。我们不仅可以从自然和生活中继续发现和发明，还可以从科学技术的结晶中去了解前人的发现和发明，并在此基础上进行理解和思考，从而让我们站在巨人的肩膀上比前人看得更远，想得更深，取得更快的进步。

　　本书基于这种考虑，编选部分我们身边较为常见的科技成果，并对其中蕴含的科学原理加以解释，希望能给青少年读者带来一些启示，为建设创新型社会做好准备。

　　现代科技已经渗透到我们日常生活的方方面面，如果我们稍加留意就会发现，生活中的许多常见工具其实都蕴藏着有趣的科学原理。

　　古人就对身边的工具有了一定的科学认识。早在战国时代，思想家荀子在《劝学》中就有一段名言："吾尝终日而思矣，不如须臾之所学也；吾尝跂而望矣，不如登高之博见也。登高而招，臂非加长也，而见者远；顺风而呼，声非加疾也，而闻者彰。假舆马者，非利足也，而致千里；假舟楫者，非能水也，而绝江河。君子生非异也，善假于物也。"翻译成现代文就是：我曾经整天地思索，却不如片刻学到的知识多；我曾经跂起脚远望，却不如登上高处所见之广、眼界之开阔。登上高处向人招手，手臂并没加长，但很远的人都能看到；顺着风呼喊，声音并不是特别响亮，远处的人却能听得很清楚。借助车马赶路的人，脚步并不是特别快，却能远行千里；借助舟船行路的人，并非善于游泳，却能横渡江河。君子的本性同一般人并没什么两样，只是善于借助工具罢了。

在现代社会生活中，人们借助的工具何其多——出门代步的交通工具，居家生活的家用电器，医院体检用的各种仪器，还有在现代生活中离不开的各类电子产品……林林总总，花样繁多。如果我们停下匆匆的脚步，仔细看看它们，就会发现其中所包含的科学原理多种多样，不断刷新我们对身边科学的认知。

现在，就让我们从身边随处可见的工具入手，管窥其中蕴含的科学知识吧。

目录

● **第1章 五花八门的出行工具**

— 从自行车说起 　　　　　　　　　003
— 燃油汽车的动力 　　　　　　　　005
— 火车为什么在铁轨上跑 　　　　　010
— 航海要靠螺旋桨 　　　　　　　　016
— 飞机靠什么一飞冲天 　　　　　　021
— 冲出地球的飞行器 　　　　　　　030

● **第2章 信息技术的前世今生**

计算机的软件和硬件 　　　　　　　039
互联网 　　　　　　　　　　　　　042
网上冲浪 　　　　　　　　　　　　045
数据是未来的新石油 　　　　　　　048
云计算 　　　　　　　　　　　　　051
物联网 　　　　　　　　　　　　　054
人工智能 　　　　　　　　　　　　057

第 3 章　林林总总的家用电器

- 制冷电器　　　　　　　　　　　　063
- 空气调节电器　　　　　　　　　　066
- 清洁电器　　　　　　　　　　　　070
- 厨房电器　　　　　　　　　　　　074
- 电暖器具　　　　　　　　　　　　077
- 整容保健电器　　　　　　　　　　080
- 声像电器　　　　　　　　　　　　083

第 4 章　食品背后的科技支撑

- 一瓶饮料的诞生　　　　　　　　　089
- 人工养殖的是与非　　　　　　　　092
- 冷鲜肉当道　　　　　　　　　　　095
- 牛奶的前世与今生　　　　　　　　098
- 食品添加剂的真相　　　　　　　　101
- 食品包装的历史　　　　　　　　　104
- 水果保鲜冻龄术　　　　　　　　　107
- 分子料理的秘密　　　　　　　　　110
- 溯源码——食品的"身份证"　　　114

第5章　疾病诊治的得力助手

- B超检查的意义何在　　121
- CT检查的目的何在　　124
- X射线检查的原理　　126
- 达芬奇手术机器人　　130
- 磁共振为什么能够诊断疾病　　132
- 体温计为什么可以测量人的体温　　135
- 血糖检测仪是怎么工作的　　137
- 血压计为什么能测出人的血压　　140
- 医学内窥镜检查设备有什么作用　　142

第6章　享受健康的绿色生活

- 一切从种子开始　　147
- 发芽之后需要光照　　149
- 吸收水分才能长大　　152
- 植物生长的小秘密　　155
- 没有土壤，我一样可以很健康　　157
- 植物工厂不再是梦想　　159
- 小小生态瓶，容纳大世界　　161
- 嫁接出的新植物　　163
- 植物细胞工程　　165
- 将农场送向太空　　167

第 1 章

五花八门的出行工具

有一年中央电视台的春节联欢晚会上，一首歌名叫《时间都去哪儿了》的歌曲感动了全国的观众，歌中感叹生命之短暂，追问时间都去哪儿了。如果我们换个角度来看时间的消逝，可能会有新的思考。大家知道，几百万年来，人类为了生存，一直在不断迁徙。从远古时代人类走出非洲，到古代中国的中原人南下，再到近代人的闯关东。这些人类壮举往往需要一代人甚至几代人才能完成。即使是借助车马出行，也要耗费几天、一个月甚至数月，在旅途中花费大量时间。

如今出行，我们使用的交通工具可谓五花八门，不仅有陆上交通的，还有水上航行或空中飞行的。而且交通工具的行驶速度越来越快，我们只要花费数小时甚至一小时就能到达过去需要几天、几个月才能到达的目的地。唐代大诗人李白曾感叹："蜀道难，难于上青天！"但高铁穿越蜀道只要几个小时，难怪我们所居住的这颗星球如今已被称为地球村了。根据爱因斯坦的狭义相对论，物体运动速度越快，从某种程度上说，时间过得越慢。换个角度说，现代化的交通工具为我们节省了不少时间，从而从某种程度上延长了我们的生命。

让我们一一去了解这些熟悉的交通工具，看看其中蕴含的科学原理吧。

从自行车说起

在中国，自行车是人们司空见惯的交通工具了，无论是牙牙学语的儿童还是白发苍苍的老人，大多和自行车有过亲密接触。无论行走在大街或小巷，都能看到人们骑着各式各样的自行车。

可你知道吗，自行车是从国外传进来的。1790年，一个名叫西夫拉克的法国人，在雨天无处躲避，被四轮马车溅了一身泥巴和雨水，因此他突发奇想：如果把马车纵向切掉一半，四个车轮变成前后两个车轮，是不是就可以给行人腾出更多空间？于是他经过反复实验，终于造出了世界上第一辆自行车。只不过，这辆最早的自行车是木制的，结构也比较简单，既没有驱动装置，也没有转向装置，骑车人得靠双脚用力蹬地才能前行，改变方向时也需要下车搬动车子。经过一百多年的不断改进，自行车终于变成我们现在看到的模样。

自行车为什么靠两个轮子就能保持平衡？有一种解释是自行车前轮的"陀螺效应"。我们小时

图1-1　自行车是人们绿色出行的主要代步工具之一

候喜欢玩一种叫陀螺的玩具，把一个木制的陀螺放在地上转一下，再用树枝绑上布带做成的鞭子使劲抽打它，陀螺会越转越快，虽然只有一个尖着地，却不会倒下，速度越快转得越稳。物理学家把这称为"陀螺效应"：旋转的物体有保持其旋转方向（旋转轴的方向）的惯性，但这仅仅是自行车能够保持平衡的原因之一。

从自行车构造上看，可以发现，几乎每辆自行车的车把轴都不与地面完全垂直，而是有点后倾。加上前轮是固定在车把的前叉上，因此又叫前叉后倾。前叉后倾，使车辆转弯时产生的离心力所形成的力矩方向与车轮偏转方向相反，迫使车轮偏转后自动恢复到原来的中间位置上。这样，车子就有了自动回正的稳定性。车速越快，产生的恢复力矩越大，骑车人就越感到稳定。这就是高速骑车时，会感觉车子比刚起步时候稳定的原因。

自行车由人力驱动，它的传动装置包括主动齿轮、被动齿轮、链条及变速器等。自行车的踏脚用到了杠杆原理，自行车的脚踏板相当于一个省力杠杆。以飞轮的轮轴为支点，用较长的铁杆来转动链条上的飞轮，可以省力。当脚踏板转到水平位置时，用力蹬下效果最好。因为动力的方向是向下的，此时动力臂最大，最省力。踏脚飞轮上用到了齿轮，以防止链条打滑。自行车上的链条与车子的后轮之间也采用了齿轮传动。并且应用了比踏脚飞轮更小的齿轮，可以节省踏脚所用的力，同时还提高了自行车后车轮运转时的速度。自行车的刹车系统也用到了杠杆原理，通过增大对车轮的摩擦力达到刹车的目的。有意思的是，自行车在行驶时为什么要先刹后轮？自行车轮胎气不足时骑起来为什么比较费劲？是否和摩擦力也有关系？

为了让自行车骑起来更快、更舒适，适合不同人群的需要，设计者通过改造外形、调整齿轮大小间距和加装外在动力等方式，发明了不少新型自行车，比如场地比赛用的赛车、适应野外骑行的山地车、越野车，还有能让人节省体力的电动自行车等。

图 1-2　自行车的构造和运转中蕴含着许多物理学原理

燃油汽车的动力

在现代社会中，汽车制造业是衡量一个国家发达程度的重要标志之一，并与机械电子、石油化工、建筑等产业一起成为国民经济的重要支柱。过去我们把美国称为"汽车轮上的国家"，而今中国的汽车工业也有了长足的进步。汽车的种类主要可分为轿车、客车、货车（又称载货汽车、载重汽车、卡车）、越野汽车及其他专用汽车（如消防车、急救车）等。根据车辆的大小形状及发动机排量的不同，也可将汽车进行细分。

图 1-3　发动机为燃油汽车提供了疾驰的动力

燃油汽车不像自行车靠人力驱动，它的动力来自发动机。燃油汽车可以分为发动机、底盘、车身和电气设备等四个基本部分，而发动机是燃油汽车最主要的组成部分之一。这里我们解释一下发动机的工作原理，从中你会明白从课本中学到的科学原理是如何被综合运用于发动机的运转中的。总而言之，发动机就是将燃油和空气进行混合，并在其气缸内燃烧，推动活塞往复运动，再带动曲轴旋转，从而将化学能转变为机械能，向燃油汽车提供动力的机器。

人们通常的经验是，只要用车钥匙一转，燃油汽车就会启动，其实这仅仅是发动机内部启动系统的一部分。因发动机不能自行由静止转入工作状态，必须由外力转动曲轴，直到曲轴达到发动机开始燃烧所必需的转速，保证混合气的形成、压缩和点火能够顺利进行。启动装置一般由直流电动机、操纵机构和离合机构三部分组成。驾驶员通过启动开关，操纵继电器，再由继电器操纵启动电机电磁开关和齿轮副（两个相啮合的齿轮组成的基本机构），或通过启动开关直接操纵启动电机电磁开关和齿轮副。

图1-4 转一下车钥匙，汽车就能启动

启动装置仅仅是发动机系统的一部分，一个发动机系统是由曲柄连杆机构、配气机构两大机构和冷却系、燃料供给系、润滑系、点火系、起动系等组成。每个部分都有各自的功能，曲柄连杆机构是发动机实现工作循环、完成能量转换的主要运动零件。

配气机构的功用是根据发动机的工作顺序和工作过程，定时

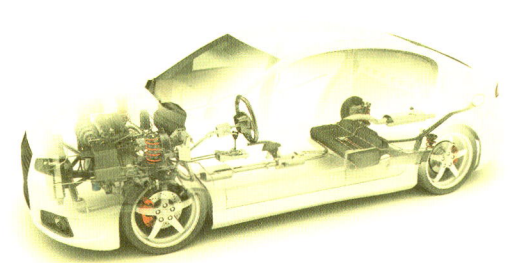

图1-5 汽车的内部构造

开启和关闭进气门和排气门，使可燃混合气或空气进入气缸，并使废气从气缸内排出，实现换气过程。

冷却系的功用是将受热零件吸收的部分热量及时散发出去，以保证发动机在适当的温度下工作。

燃料供给系的功用是根据发动机的要求，配制出一定数量和浓度的混合气，供入气缸，并将燃烧后的废气从气缸内排出去。

润滑系的功用是向做相对运动的零件表面输送定量的清洁润滑油，以实现液体摩擦，减小摩擦阻力，减轻机件的磨损，并对零件表面进行清洗和冷却。

在汽油发动机中，气缸内的可燃混合气是靠电火花点燃的，为此，发动机的气缸盖上装有火花塞，火花塞头部伸入燃烧室内。能够按时在火花塞电极间产生电火花的全部设备称为点火系。

有意思的是，当今一些著名的汽车品牌如奔驰、奥迪等，都与发动机的发明者密不可分。比如世界公认的汽车发明者——德国人卡尔·本茨，他喜欢骑自行车，梦想有一天能制造出不用人力驱动的车。1886年，他成功研制了单缸汽油发动机，并安装在三轮车上，这就是世界上的第一辆汽车。而另一位德国工程师奥托也因制成了按四冲程原理工作的煤气机而成为现代汽车工业的先驱者。

发动机不仅是汽车的动力源泉，同样也是火车、飞机和轮船等其他交通工具的动力源泉。因为它是一种能够把其他形式的能转化为机械能的机器。发动机最早诞生在英国，"发动机"这个词也来自英语，它的本义是指"产生动力的机械装置"。随着科技的进步，人们根据科学原理不断地研制出不同用途、多种类型的发

第 1 章
五花八门的出行工具

图 1-6　卡尔·本茨发明的三轮汽车示意图

动机，比如汽油发动机、航空发动机等。而舰船所用的发动机就更复杂了，主要包括蒸汽动力装置、柴油机动力装置、核动力装

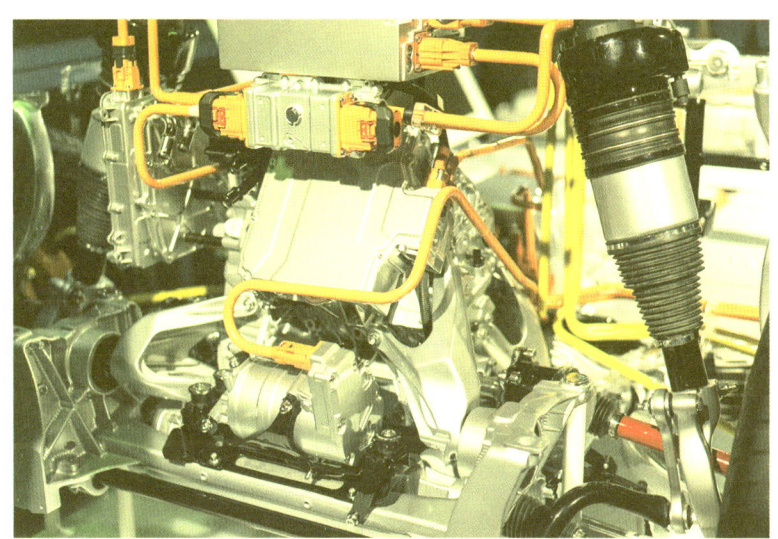

图 1-7　现代燃油汽车发动机

009

置、燃气动力装置和联合动力装置等。

这里顺带介绍一下发动机的发展历史，发动机经历了外燃机和内燃机两个发展阶段。所谓外燃机，即燃料在发动机的外部燃烧，发动机将这种燃烧产生的热能转化成动能，瓦特发明的蒸汽机就是一种典型的外燃机。最早期的火车和轮船就是以外燃机作为动力的，而内燃机的燃料在其内部燃烧。内燃机种类繁多，如常见的汽油机、柴油机、火箭发动机和飞机上装配的喷气式发动机，此外还有燃气轮机，等等。如今随着科技进步，人们运用有关科学原理，正在不断地研制出各种不同用途的发动机。

火车为什么在铁轨上跑

你坐过火车吗？你知道铁路交通究竟是怎么回事，火车是如何驱动的吗？

一般而言，铁轨是供火车等交通工具行驶的轨道。铁路运输就是以机车牵引列车车厢在两条平行的铁轨上行进。广义的铁路运输包括磁悬浮列车、缆车、索道等非钢轮行进的方式，也称轨道运输。

说到轨道运输，可以追溯到两千年前，当时在古希腊就已经有马拉的车在木制轨道上行进，为重大建设运输货物。1767年，用生铁制成的轨道取代了木制轨道。1814 年,英国发明家乔治·斯蒂芬森造出了第一辆机车,1825 年,斯蒂芬森亲自驾驶他与别人合作设计、制造的"旅行者号"蒸汽机车在新铺设的铁路上试车,并获得成功。

图 1-8　蒸汽火车

两百多年来,火车从由烧煤产生的蒸汽驱动发展到用柴油和电力驱动,衍生出城市轻轨、地铁、磁悬浮列车和高铁等,而且时速越来越快,其中,磁悬浮列车的时速可达 400 ～ 500 千米。人们出行变得更加便捷。

古人很早就认识到采用轨道运输大体积的重物时可以节省不少的力。因为在压力一定时,通过轨道运输可以增大受力面积,保护路面,同时减小摩擦力。铁轨则能更好地提供极光滑、坚硬的媒介让列车车轮在上面以极小的摩擦力滚动,既节省能量,又使乘客感到更舒适。

图 1-9 轨道使车轮摩擦力减小,提高了列车运行效率

铁轨进行过几次工艺改进和技术进步。最初,铁轨比木制轨道的体积小许多,直接放在地面上,货车轮子也是铁制的,车开起来,运煤、送货非常省劲。但是,由于地面承重问题,车内装的东西不能过重,因为货装多了,会导致铁轨陷入地里,容易翻车。因此必须解决地面的承受力问题,同时还要考虑铁轨的长度问题。火车很重,一列火车几千吨,公路运行吃不消,如果把这个重量分散到枕木上,再由枕木分散到"道床"上,道床所受的力再均匀地分散到路基上,这个力量就变得小了许多。经过这样的传递过程,接触面积逐渐增大,单位面积的压力就相应降低,路基就不会被压坏了。

同样,铁轨从凹槛形到上下一样宽,再到"工"字型,也体现了人们认知的进步。凹槛形的铁轨可以防止车轮滑出,但里面容易积上石子、煤屑，铁轨很容易损坏。上下一样宽、中间略窄的铁轨不是很平稳，受到冲击容易翻倒而导致列车脱轨翻车。于是人们又把铁轨的下部加宽，像汉字"工"一般的轨道既稳定又坚固，一直沿用到今天。

图 1-10 "工"字型铁轨

传统的火车轨道都是有砟轨道，所谓砟，就是岩石、煤等坚硬块状物，在铁路上，即作路基用的小块石头。两条平行的钢轨固定在枕木上，其下为小碎石铺成的道砟。道砟和枕木均起加大受力面、分散火车压力、帮助钢轨承重的作用，防止铁轨因压强太大而陷入泥土里。此外，道砟还有减弱噪声、吸热、减震、增加透水性等作用。

铁路发展到今天，出现了两个趋势，一是客运高速化，二是货运重载化。这给有砟轨道出了难题，因为列车底部至轨道床顶面之间的空气高速流动，会让道砟飞溅出来，就像在水流很急的河中，河底的石子会被冲走一样。另外，货车的重量也存在着使道砟变形的隐患。于是，近年来无砟轨道被大量使用。无砟轨道是采用混凝土、沥青混合料等整体基础取代散粒碎石道床的轨道结构，其轨枕本身由混凝土浇灌而成，钢轨、轨枕直接铺在混凝土路基上。无砟轨道是当今较为先进的轨道技术，列车运行时速可达350千米以上。

如果配置得当，铁路运输可以比路面运输同等重量货物节省五至七成的能量。铁轨能均匀分散列车的重量，使列车的载重能力大大提高。除了承重，铁路运输的另一个优势就是快捷。国际铁路联盟将旧铁路线改造时速达200千米，新建铁路线时速达250～300千米的铁路定义为高铁。

20世纪后期，不少国家开始大力发展高速列车，例如当时法国巴黎至里昂的高速列车，时速达300千米；日本东京至大阪的高速列车时速也达200千米以上。但人们对这样的高速列车仍不满足，于是法国、日本等国又率先开发了磁悬浮列车。磁悬浮列车就是根据磁铁同性相斥和异性相吸的原理，通过电磁力实现列车与轨道之间的无接触的悬浮和导向，再利用直线电机产生的电磁力牵引列车运行。换言之，就是利用车上超导体电磁铁形成的磁场与轨道上线圈形成的磁场之间所产生的相斥力，使车体悬浮运行，当向轨道这个"定子"输电时，通过电磁感应作用，列车就会像电动机的转子一样被推动着做直线运动。因为磁悬浮列车和铁轨的摩擦没有了，设计时速可达700～800千米。

中国就高铁发展采用何种技术的问题曾有过一次激烈的争论。

争论的焦点是中国高铁适合采用轮轨技术还是磁悬浮技术，争论持续了十年左右，最后确定先发展轮轨技术。作为技术更先进、运行速度更快的磁悬浮技术，最后为什么会落败？除了经济因素外，还有技术上的因素，磁悬浮技术相对轮轨技术，最大的优势是速度。但当轮轨试验速度突破574.8千米/时，运行速度突破350千米/时的时候，磁悬浮技术的速度优势就不那么明显了。一般而言，磁悬浮技术没有了车轮与轨道之间的摩擦，速度优势应该很明显，但当速度达到300千米/时以上时，运动物体所受的阻力90%是空气阻力，磁悬浮技术虽然没有机械阻力，但空气阻力并不能消除，而且还需要磁力将列车悬浮起来，也需要消耗大量能量。此外磁悬浮天生就是为点对点运输而生的，因为无论是常导磁悬浮技术还是超导磁悬浮技术，都存在难以变轨的技术问题，很难联网。

图1-11　磁悬浮列车

随着技术的进步和时代的发展，过去被视为问题的现象，将来可能就是优势。如今科学家们正在进行真空管道磁悬浮列车研究。一般说来，任何一种地面交通工具，其商业运行速度都不宜超过400千米/时，否则能耗过大、噪声超标，难以被市场接受。如今，人类采用的高速远程客运工具以飞机为主，民航客机的飞行速度约为1000千米/时。对于5000千米以上的远程旅行来说，乘飞机旅行所耗费的时间、经济成本惊人，并且会造成严重的环境污染。有研究指出，一种最低速度4000千米/时，能耗不及民航客机的一成，噪声、废气污染以及事故率接近于零的新型交通工具——真空管道磁悬浮列车已在研发。这项研究的目标就是要建造一条与外部空气隔绝的管道，将管内抽为真空后，在其中运行磁悬浮列车。由于没有空气摩擦的阻碍，列车将运行至令人瞠目结舌的速度。由于管道是密封的，列车可以在海底及气候恶劣的地区运行而不受任何影响。

航海要靠螺旋桨

从原始社会的独木舟到现代社会的几十万吨级的各种用途的巨大轮船，人类一直利用大江大海进行交通运输。

船舶在水上航行，至少要满足两个条件：一是要能浮在水面，

图 1-12　古代大型帆船

二是要能向前推进。

在一般人的印象里,一块木块会浮在水面上,而一个同样体积的铁球会马上沉入水底。如果说木块在水中有浮力,那么用钢铁制成的轮船又怎么会浮在水面呢?我们马上联想到阿基米德原理:$F_{浮}=\rho_{液}gV_{排}$。根据阿基米德原理,浸在液体里的物体受到液体竖直向上的浮力,浮力的大小等于物体所排开的液体重量。人们发现,物体在水面下的体积越大,受到向上的浮力越大。

图 1-13　相同体积的木块与铁球放入水中的沉浮情况

当受到的浮力比自身的重力大时，物体就上浮。由于铁球的质量大于同体积的木块，所以能托举木块的浮力无法承受铁球的重量。如果把这个铁球做成空心的，势必体积也随之增大，就像易拉罐，它可以浮在水面上，但把它捏扁就会下沉。轮船好比一个大的易拉罐，它在水面下有很大的体积，受到的浮力等于它所受到的重力，所以轮船就能浮在水面上。轮船的原理就是采用空心技术增大浮力，而潜水艇的原理是改变自身受到的重力来实现沉浮。

船浮起来了，还要行进才能成为交通工具。在陆地上，可以用蒸汽机、内燃机和电动机等动力装置来驱动车轮，在有轨或无轨的路上行驶。但在大江大海中，没有轮子的轮船虽然同样用蒸汽机、柴油机和电动机等动力装置，但它是驱动什么来劈波斩浪的呢？这就不得不提到船舶的推进器了。

船舶推进器就是推动船舶前进的设备或装置。它是把自然力、人力或机械能转换成船舶推力的能量转换器。根据航行要求，船舶的推进器可以分为很多种，其中最直观的就是船桨。

行进于江河湖海的各类船只，从古老的独木舟，到现在的手摇船，再到比赛中用的赛艇、皮划艇，这些船只均采用船桨作为推进工具。

船桨的上端为圆柱形，便于手握，下端为板状，用来划水。别小看了这貌不惊人的船桨，它可是利用费力杠杆原理模拟鱼的胸鳍和腹鳍，通过一下一下地前后划动，使船体徐徐前进。和骑自行车一样，这些船都是人力借用工具运用一定的物理原理来实现的。不同的地方在于骑自行车是用下肢的力量，而划船则是用上肢的力量。

图 1-14 用桨向后划水,使船只前进

船桨只是众多船舶推进器中最原始的一种。如果以作用方式分类,可以把船舶推进器分为主动式和反应式两大类。靠人力或风力驱船前进的纤、帆等为主动式,桨、橹、明轮、喷水推进器、螺旋桨等为反应式。现代运输船舶大多采用反应式推进器,应用最广的就是螺旋桨了。

螺旋桨的应用十分广泛,如飞机、轮船上的推进器都是螺旋桨。它由桨毂和若干固定于毂上的桨叶组成,靠桨叶在空气或水中旋转,是将发动机转动转化为推进力的装置。

船舶螺旋桨是一种水螺旋桨,螺旋桨桨叶在旋转时,不断把大量水向后推去,根据牛顿第三定律,水就将船舶向前推进。用于客运的大型邮轮,用于货运的大型油船、集装箱船和散装船,用于军事的各种军舰,它们的动力装置可能是蒸汽机,也可能是内燃机或核动力,但最终都必须转化为推进力,就像车辆的前进要通过轮子滚动来实现一样，大型船舶前进主要是通过螺旋桨旋转来完成的。

图 1-15　大型船舶螺旋桨

船舶螺旋桨安装于船尾水线以下，通过推进轴直接由发动机驱动而旋转。螺旋桨构造简单、重量相对船舶而言较轻，不易受损。

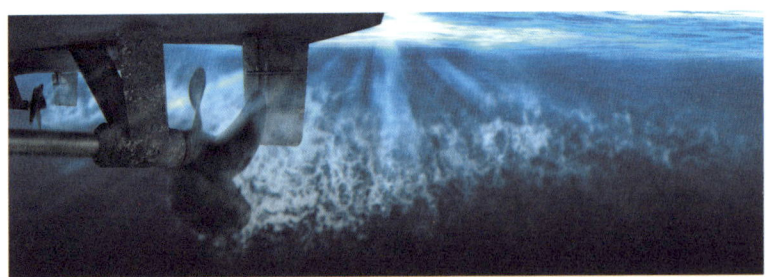

图 1-16　在水下工作的螺旋桨

1829年,奥地利人约瑟夫·莱塞尔发明了实用的船舶螺旋桨,此后螺旋桨推进器就逐渐在船舶中普及开来。

普通运输船舶一般有1~2个螺旋桨,大型快速客船有2~4个螺旋桨。根据螺旋桨的工作原理,可以通过改变桨叶数目及构造,使其成为定距或变距螺旋桨,从而改变其功率。一般说来,桨叶数目越多,螺旋桨的功率就越大。按需要调节螺距,高速时用高距,低速时用低距,从而提高推进效率。

或许大家此时会联想到潜水艇,它的工作原理和浮在水面的轮船又有什么不同呢?

潜水艇的上浮和下潜是靠改变其自身重量来实现的。它有多个蓄水仓,要下潜时,就往蓄水舱中注水,使潜水艇质量增至大于它的排水量,潜艇就下潜;要上浮时,就往外排水,使潜水艇质量减至小于它的排水量,潜水艇就上浮。潜水艇的艇尾装有螺旋桨和方向舵,用于潜水艇航行和变换航向。

飞机靠什么一飞冲天

航空业是现代社会交通事业的一个重要组成部分。如今坐飞机已是人们远距离出行的主要选择之一。20世纪初,老一辈留学生到美国留学只能坐船,要花费一个多月的时间;而现在国人坐飞机去美国只需要十几个小时。飞机的发明极大地拉近了国家与国家的距离，使地球变成了地球村。

众所周知，人类对飞行的认识来自鸟类。当古人看到小鸟扑腾着鸟翼一飞冲天时，也萌生了"借我一双鸟翼，让我翱翔蓝天"的梦想，并进行了各种飞行的尝试。人类逐渐认识到鸟类之所以能飞翔，是因为利用了流体力学的原理。

鸟类立于地面，翅膀向下扇动，方向与地球引力方向相同，由于惯性，翅膀下部的空气不会马上跟随翅膀向下运动，所以翅膀下部的气压会升高，同样由于惯性，翅膀上部的空气也不会马上跟随翅膀向下运动，所以翅膀上部的气压会降低。这样翅膀上下就有了气压差。这个气压差使鸟类向上飞起。注意，翅膀向下运动时是用力的，翅膀向上运动时是不用力或用力比较小的。由于翅膀上下存在气压差，翅膀下部的空气也会向翅膀上部运动，翅膀上部的空气则会跟随翅膀向下运动，这两股空气相遇就会在

图 1-17　振翼飞翔的海鸥

翅膀上部形成窝。

鸟类滑翔时靠什么产生升力呢？鸟类滑翔时，翅膀后倾（前缘高后缘低），由于惯性，空气不能及时移动，导致翅膀下部的气压高，翅膀上部的气压低。翅膀上下有气压差，这个气压差在平行于地球引力方向的分力也就是鸟类滑翔时的升力。鸟类如何通过扇动翅膀水平飞行呢？水平飞行时，鸟类翅膀前倾（前缘低后缘高），这样扇动翅膀导致的上下压差就会在水平方向有一个分力，这个分力推动鸟类水平飞行。鸟类如何在空中"刹车"？飞行时只要翅膀在垂直于运动方向上扇动，鸟类就能在空中"刹车"。鸟类降落时就是这样的，先"刹车"，待速度降至比较低时，再向地球引力方向扇动翅膀，从而实现轻盈降落。

当了解了鸟类的飞行原理，人们就把实现飞行梦落到了制造像鸟一样能在空中飞行的器物上。但直到19世纪，工业革命带来了科学和技术的巨大进步以后，才真正有根据鸟类飞行原理制造的现代飞行器出现。随着内燃机的发明和广泛应用，1903年，美国的莱特兄弟率先在美国制造出飞机，实现了人类飞行的梦想。随后，飞机及其相关的科学技术不断得到发展。

从飞机身上我们能发现鸟类的影子，人们也通常把飞机比喻成大铁鸟。从构造上看，飞机一般由五个主要部分组成：机翼、机身、尾翼、起落装置和动力装置。

机翼是使飞机产生升力的主要部件，一般分为左右两个翼面，并对称地分布在机身两侧。机翼的一些部位（主要是前缘和后缘）可以活动，驾驶员可以通过改变机翼的形态，从而控制机翼升力或阻力的分布，以达到增加升力或阻力的目的。

图 1-18　机翼

只要稍加观察就能发现，飞机机翼上下两侧的形状是不一样的，上侧的要凸些，而下侧的则要平些。当飞机滑行时，由于机翼上下侧的形状不一样，在同样的时间内，机翼上侧的空气比下侧的空气流过了更多的路程，也就是说，机翼上侧的空气流动得比下侧的空气快。根据流体力学原理，这时机翼上侧的空气压力小于下侧，使飞机产生了一个向上的升力。当飞机滑行到一定速度时，这个升力就足以使飞机飞起来。于是，飞机就飞上了天。飞机在高速前进时，流过机翼上方的气体与下方的气体所产生的压力差大于机体重量，那么飞机就会上升，反之则会下降。

飞机机身是飞机装载乘客、货物和其他物资的主要载体。按照机身的功用，飞机至少要满足三个方面的需求：一是具有尽可能大的空间，使其单位体积利用率尽可能高，以便能装载更多的乘客和物资，同时必须确保安全；应有良好的通风、加温和隔音设备；视界必须可调，以利于飞机的起落。二是在气动方面，飞机的迎风面积应尽可能小，表面应光滑，线条应流线化而没有突角和缝隙，从而尽可能地减小阻力。三是在保证有足够的强度、刚度的情况下，应使其重量最轻化。中国在设计制造大飞机C919时，就采用大量的先进复合材料、先进的铝锂合金等，其中复合材料的使用量达到20%，再通过飞机内部结构的细节设计，使飞机重量减轻了不少。由于大量采用复合材料，C919机舱内的噪声有望降至60分贝以下。

  安装在飞机后部的起稳定和操纵作用的装置叫尾翼。尾翼一般分为垂直尾翼和水平尾翼。垂直尾翼由固定的垂直安定面和可动的方向舵组成，它在飞机上主要起方向安定和方向操纵的作用。根据垂尾的数量不同，飞机可分为单垂尾、双垂尾、三垂尾和四

图1-19 飞行中的飞机

垂尾飞机。所谓水平尾翼，是飞机纵向平衡、稳定和操纵的翼面。水平尾左右对称地分布在飞机尾部，基本为水平位置。翼面前半部通常是固定的，被称为水平安定方。翼面后半部铰接在安定面的后方，可操纵上下偏转，被称为升降舵。

用于在飞机的起飞、着陆和滑行时支撑飞机重力、承受相应载荷的装置叫起落架。

图 1-20　飞机起落架

为适应飞机起飞、着陆滑跑和地面滑行的需要，起落架的最下端装有带充气轮胎的机轮。陆上飞机都是用机轮着陆的，当然一些特殊用途的飞机（如在雪地和冰上起落的飞机）起落架上的机轮以滑橇代替，而水上飞机的机轮则是以浮筒替代。以陆上飞机为例，为了缩短着陆滑跑距离，机轮上装有刹车装置。此外还包括承力支柱、减震器（常用承力支柱作为减震器外筒）、收放机构、前轮减摆器和转弯操纵机构等。

这里特别要提到的是减震器,飞机在着陆接触地面瞬间或在不平的跑道上高速滑跑时,会与地面发生剧烈的摩擦,除充气轮胎可起小部分缓冲作用外,大部分摩擦能量要靠减震器吸收。现代飞机上应用最广的减震器是油液空气减震器。当减震器受冲击压缩时,空气的作用相当于弹簧,而油液以极高的速度穿过小孔,吸收大量冲击能量,把它们转变为热能,使飞机受冲击后能够很快平稳下来,不致颠簸不止。

飞机动力装置是飞机发动机及保证发动机正常工作所必需的系统和附件的总称。现代飞机上用得最多的是涡轮喷气发动机和涡轮风扇发动机。涡轮喷气发动机具有重量轻、体积小和功率大的特点,适合超声速飞行。涡轮风扇发动机是在涡轮喷气发动机

图 1-21 飞机的涡轮发动机

外增加一个风扇通道,风扇通道内的气流温度低、速度小,与内部通道的燃气喷流混合,使整个发动机的排气速度降低,推进效率提高,同时还能降低发动机的噪声。涡轮喷气发动机主要应用于军用机,而涡轮风扇发动机则主要应用于客机。

在空中交通工具中,还有一种叫直升机。直升机,顾名思义就是可以垂直起飞、降落的飞行器。直升机由于不需要大面积机场,可以随时随地起降,还能在空中停留,因此较其他飞机有着更广泛的用途。

直升机是人类最早的飞行设想之一。据说中国传统玩具——竹蜻蜓,就是人类发明制造直升机的灵感之一。现代直升机主要由机体和升力(含旋翼和尾桨)、动力、传动三大系统组成。旋翼一般由发动机通过由传动轴及减速器等组成的机械传动系统来驱

图1-22 直升机

动,也可由桨尖喷气产生的反作用力来驱动。直升机尽管比竹蜻蜓复杂千万倍,但其飞行原理与竹蜻蜓确有相似之处。

直升机的旋翼就好像竹蜻蜓的叶片,旋翼轴就像竹蜻蜓的那根细竹签,带动旋翼的发动机就好像我们用力搓竹签的双手。直升机旋翼产生升力的原理与竹蜻蜓是相同的。

1907年8月,法国人保罗·科尔尼研制出一架全尺寸载人直升机,并在同年11月13日试飞成功。这架直升机被称为"人类第一架载人直升机"。

如今,直升机被广泛应用于搜救、物资运输、人员输送、空中观光与游览、吊运吊装、航拍、探矿与物探、防火与救火、警用警戒、巡逻与控制等。

链接

竹蜻蜓

竹蜻蜓的叶片一侧圆钝,一侧尖锐,上表面比较圆拱,下表面比较平直。当气流经过圆拱的上表面时,其流速快而压力小;当气流经过平直的下表面时,其流速慢而压力大。上下表面之间形成了一个压力差,于是便产生了向上的升力。当升力大于它本身的重量时,竹蜻蜓就会腾空而起。

科学在身边

冲出地球的飞行器

有一种现在已经在使用的飞行器，人们通过电影、新闻报道等可见到其身影，它就是航天器。所谓飞行器，就是由人类制造、能飞离地面、在空中飞行并由人来控制的在大气层内或大气层外空间（太空）飞行的器械飞行物。航天器是指在地球大气层以外的宇宙空间中，基本按照天体力学规律运动的各种飞行器。请注意，和航空器依据流体力学原理不同的是，航天器依据的是天体力学原理。天体力学是天文学的一个分支学科，涉及天体的运动和万有引力的作用，为应用物理学。天体力学以数学为主要研究手段，以万有引力定律为基础。航天器能在宇宙空间运动，是由于天体引力场的作用，它的速度是由发射的运载器提供的。

航天器包括发射航天飞行器的火箭、人造卫星、空间探测器、宇宙飞船、航天飞机和各种空间站。航天器根据是否载人，可分为无人航天器和载人航天器。根据它是否环绕地球运行，无人航天器可分为人造地球卫星和空间探测器。此外，根据不同的任务，科学家可为航天器选择和设计不同的轨道。

航天器基本上是无动力装置的，它依靠运载火箭提供的初速度运动。运载火箭在燃料耗尽后就自动分离，向地球下落；航天器或者进入绕地球轨道，或者在给以动量的情况下，继续飞向太空。航天器一般由专用系统和保障系统（包括结构系统、电源系统、姿态控制系统、无线电测控系统、生命保障系统、应急救生

图 1-23　发射中的航天飞机

系统、返回着陆系统等）组成。

　　运载火箭是在导弹的基础上发展起来的，是一种以热气流高速向后喷出，利用其产生的反作用力向前运动的喷气装置，一般由 2～4 级组成。运载火箭自身携带燃烧剂与氧化剂，不依赖空气中的氧助燃，这就使它既可在大气中，又可在外层空间飞行。火箭推进的理论依据是牛顿第三定律：相互作用的两个物体之间，作用力与反作用力大小相等，方向相反。火箭的用途是把人造地球卫星、载人飞船、空间站、空间探测器等有效载荷送入预定轨道。每一级火箭都包括箭体结构、推进系统和飞行控制系统。末级有仪器舱，内装制导与控制系统、遥测系统和发射场安全系统。级与级之间靠级间段连接。有效载荷装在仪器舱的上面，外面套有整流罩。

　　目前常用的运载火箭按其所用的推进剂来分，可分为固体火箭、液体火箭和固液混合型火箭三种类型。如我国的长征三号运载火箭就是一种三级液体火箭；长征一号运载火箭则是一种固液混合型的三级火箭，其第一级、第二级是液体火箭，第三级是固体火箭。按级数来分，运载火箭可以分为单级火箭和多级火箭。其中多级火箭按级与级之间的连接形式来分，可分为串联型、并联型、串并联混合型三种。串联型火箭级与级之间的连接分离机构简单，上一级的火箭发动机在高空点火。并联型火箭的连接分离机构较串联型复杂，其第一级火箭核心部分与助推火箭在地面同时点火。

图 1-24　火箭的喷气孔

人造地球卫星指环绕地球飞行并在空间轨道运行一圈以上的无人航天器。在目前人类发射的航天器中，数量最多的航天器应该就是人造地球卫星了，约占航天器总数的 90% 以上。

牛顿在思考万有引力定律时曾设想过，从高山上用不同的水平速度抛出物体，速度一次比一次大，落地点也就一次比一次离山脚远。如果没有空气阻力，当速度足够大时，物体就永远不会落到地面上来。人造地球卫星正是因为发射它的运载火箭给了它较大的飞行速度，从而地球引力作为向心力而绕地球飞行。人造地球卫星按用途可分为科学卫星、应用卫星和技术试验卫星。科学卫星用于科学探测和研究，主要包括空间物理探测卫星和天文卫星等，用来研究高层大气、地球辐射带、地球磁层、宇宙射线、太阳辐射等。应用卫星是直接为国民经济和军事服务的卫星，按用途可分为通信卫星、气象卫星、侦察卫星、导航卫星、测地卫星、地球资源卫星、截击卫星和多用途卫星等。应用卫星按是否专门用于军事又可分为军用卫星和民用卫星，有许多应用卫星是军民兼用的。技术试验卫星是进行新技术试验或为应用卫星进行试验的卫星。

空间探测器又称深空探测器，按探测的对象，可分为月球探测器、行星和行星际探测器。

空间探测器装载科学探测仪器由运载火箭送入太空，对月球或行星进行近距离观测，对着陆地点进行实地考察，或采集样品进行研究分析。空间探测器离开地球时必须获得足够大的速度才能克服或摆脱地球引力，实现深空飞行。空间探测器飞离地球几十万到几亿千米，一旦入轨时速度大小和方向稍有误差，就会导致到达目标行星时出现很大偏差。所以探测器必须沿着与地球轨道和目标行星轨道都相切的日心椭圆轨道（双切轨道）运行，才

图 1-25　空间探测器

可能与目标行星相遇，或者增大速度以改变飞行轨道，缩短飞抵目标行星的时间。

空间探测器的显著特点是在空间进行长期飞行，地面不能进行实时遥控，所以必须具备自主导航能力；向太阳系外行星飞行，远离太阳，不能采用太阳能电池阵，而必须采用核能源系统；承受十分严酷的空间环境条件，需要采用特殊防护结构；在月球或行星表面着陆或行走，需要一些特殊的结构。

与人造地球卫星和空间探测器等无人航天器不同的是，有一些航天器是用来载人的。这些航天器按飞行和工作方式的不同，可分为载人飞船、空间站和航天飞机。载人飞船包括卫星式载人飞船和登月载人飞船。中国的神舟飞船就是其中的一种。而航天飞机既是航天器又是可重复使用的航天运载器。

空间站则是一种在近地轨道长时间运行，可供多名航天员巡访、长期工作和生活的载人航天器。空间站分为单一式和组合式两种。单一式空间站可由航天运载器一次发射入轨，组合式空间站则由航天运载器分批将各组件送入轨道，在太空中组装而成。空间站中有能够满足人类生活的基本设施，但空间站不具备返回地球的能力。

图 1-26　国际空间站

第 2 章

信息技术的前世今生

在今天，人们不仅可以通过各种移动终端进行实时视频通话，开展搜索、咨询、网购等业务，还可以进行各种形式的线上操作。在此基础上，人工智能正在深入涉及衣、食、住、行等领域的相关设备中，这一切都说明信息化时代正在到来。如果我们往前追溯，这个迅速而又巨大的变化源于数字技术的广泛运用。数字化的普及是社会进步的体现。

计算机的软件和硬件

制造出能像人类大脑那样工作的机器是人类长久以来的梦想。早在1822年,计算机先驱、英国科学家查尔斯·巴贝奇就尝试将思想的力量注入齿轮机械,然而他的差分机和分析机未能研制成功。直到1946年,第一台电子多用途计算机——电子数字积分计算机埃尼阿克(Electronic Numerical Integrator and Computer,ENIAC)才在美国问世。此后,计算机的发展史成为勾画第三次技术革命的主线之一。

无数科学家和工程师为计算机的研制都做出过卓越贡献,其中就有被誉为"计算机之父"的冯·诺依曼。他提出计算机由五大基本部件组成,并采用二进制来表示指令和数据,运行程序则和原始数据一起,事先被存入存储器。这个理论被称为冯·诺依曼体系结构,是计算机设计的基本原则,一直沿用至今。

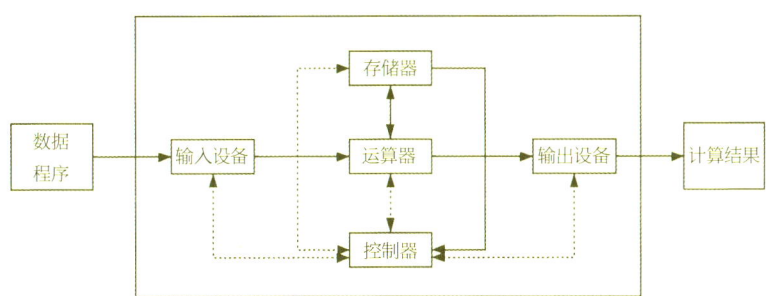

图 2-1　冯·诺依曼体系结构

冯·诺依曼体系结构中的控制器、运算器、存储器、输入设备和输出设备等五大基本部件被称作计算机硬件。运算器好像一个由电子线路构成的算盘，用来处理信息，进行二进制算术运算、逻辑运算；控制器相当于人的大脑，自动控制整个运算过程，是计算机的指挥中心，向各个部件发号施令；存储器是记忆装置，原始数据和求解过程都存放其中；输入、输出设备分别用于输入运算信息、输出运算结果，前者负责把信息转换为计算机内部所能接收和识别的二进制形式，后者负责把结果转换为人们所能接收和识别的信息形式。

图 2-2　控制器和运算器是中央处理器的核心部分

说过了"看得见摸得着"的计算机硬件，下面讲讲"看不见摸不着"的计算机软件。计算机软件相当于珠算的运算法则和计算步骤，少了它们，算盘是无法进行计算的。所以，软件可以说是计算机的"灵魂"，它让计算机变"活"了。计算机软件一般分为系统软件和应用软件两大类。系统软件包括操作系统和一系列基本工具，既能够控制和协调计算机，又能够支持应用程序的开发和运行。

图 2-3　计算机应用软件使现代化办公更加便捷高效

　　Windows、Linux、iOS 等就是操作系统，它们是计算机系统的控制和管理中心，是搭建起硬件、应用软件和用户之间的桥梁。应用软件是用于实现特定目的而编写的程序。比如，我们用于写文章、填表格、做讲稿等的办公室软件就是应用软件。

　　计算机的发展围绕着硬件和软件，而硬件革命和软件革命也遵循着一定的规律。有这样一个笑话："当你把市面上最先进的计算机买回家时，就已经出现了更先进的计算机。"虽然有夸大之嫌，但是每隔 18～24 个月，计算机的性能确实会翻一番，这就是由英特尔公司创始人之一戈登·摩尔于 1965 年提出的摩尔定律。人们曾多次怀疑摩尔定律还能适用多少年，然而经历了电子管计算机、晶体管计算机、集成电路计算机和大规模集成电路计算机这些时代，摩尔定律仍然适用。

知道了摩尔定律，你可能会想，如果现在想买的计算机价格太贵，那么可以等约 20 个月后半价入手。要是人人都这么想，计算机产业也就"日近黄昏"了。实际上，根据国际数据公司最新发布的报告，2021 年，全球个人电脑出货量为 488 亿台，创近十年来新高，这是为什么呢？这就要说到安迪 – 比尔定律了，它概括了 IT 产业中硬件和软件升级换代的关系。安迪指的是英特尔公司前 CEO 安迪·格鲁夫，代表了硬件商；比尔指的是微软公司创始人比尔·盖茨，代表了软件商。在硬件性能提升的同时，系统程序、应用程序也会相应地进行升级，很快消耗掉了硬件提高的性能。就这样，安迪 – 比尔定律使得原本属于耐用消费品的计算机变成了消耗性商品，从而推动整个 IT 行业的发展。

互联网

互联网对通信领域产生了重大影响，给人类的生产和生活方式带来了革命性变化。21 世纪是一个以网络为核心的信息时代，互联网成为人们的虚拟生存空间。

互联网是由数量极大的各种计算机网络相互串联而形成的，经过几十年的发展，已经成为当今世界最大的计算机网络。其雏

图 2-4　现代人类的生活已离不开互联网

形是美国国防部 1969 年创建的阿帕网（ARPAnet），当时接入阿帕网的主机只是直接连接就近的结点交换机，还是单个网络，并没有实现互联。1985 年，美国国家科学基金会决定在阿帕网的基础上建立美国国家科学基金网（NSFnet）。美国国家科学基金网呈三级网络结构，包括连接 6 个大型计算机中心的主干网，以及在此基础上连接的地区网、校园网，覆盖了全美主要的科研机构。随着网络使用范围的扩大、通信量的激增，从 1993 年开始，美国国家科学基金网逐渐被商用的互联网主干网取代，由互联网服务提供商（Internet Service Provider，ISP）负责运营，形成了多层次 ISP 结构的互联网。随着商业化时代的开启，互联网逐渐成为推动当今世界经济发展和社会进步的重要信息基础设施。截至 2021 年，全球已有近 50 亿人接入互联网。

从工作方式上，互联网的拓扑结构可以划分为边缘部分和核心部分。

连接互联网的所有主机共同组成了互联网的边缘部分。上网就是通过某互联网服务提供商获得的 IP 地址接入互联网。我国的互联网服务提供商有中国联通、中国电信和中国移动等。IP 是网络之间互连协议（Internet Protocol）的英文缩写，是为计算机网络相互连接进行通信设计的一套规则。IP 地址是根据 IP 协议，为互联网上的每一个网络和每一台主机分配的逻辑地址，相当于某台计算机在互联网这个虚拟空间的住址，它使我们在互联网上能够很方便地进行寻址。域名系统负责将域名解析为主机能识别的 IP 地址。

互联网的核心部分包括了大量网络和连接这些网络的路由器。路由器是互联网的主要结点设备，是连接不同网络之间的枢纽。路由器通过路由决定数据的转发，转发策略称为路由选择，其处理速度是网络通信速度的主要决定因素，其可靠性则直接影响网络互连的质量。

图 2-5　路由器

网上冲浪

今天你上网了吗？随着互联网的发展和普及，网络已成为生活的一部分，越来越多的人开始"网上冲浪"。

"网上冲浪"起源于刊登在美国明尼苏达大学《威尔逊图书馆通报》的同名文章，作者简·阿莫尔·泡利是一名资深网民，他认为，通过互联网获取信息、在线聊天、传输文件等，都可以比作网上冲浪。不同的是，冲浪板变作浏览器，海浪即不同的网站，冲浪动作则变成在浏览器地址栏中输入统一资源定位符（Uniform Resource Locator，URL）以及在网页上移动鼠标。

不同于今天，网上冲浪流行伊始，多数网民面对茫茫网海无从下手。此时，雅虎公司扮演了向导角色，相比用户如何上网，雅虎更关心用户浏览哪些网站。通过提供以搜索为主的服务，雅虎成为网民进入互联网的"门户"。作为最早吃互联网"免费午餐"的公司，雅虎制定了互联网行业开放、免费和盈利的游戏规则，并且发明了电子商务这一新型商业模式。雅虎既通过将不同网站进行编辑分类，从而提供检索服务，又构建了内容丰富、娱乐价值高、画面诱人且易用的网络站台。如此一来，雅虎的流量呈几何级数增长，并以巨额广告费收入维护运营。电子商务则可以理解为传统商业活动的网络化，即在互联网上以电子方式进行交易和服务活动。例如天猫商城、京东商城、亚马逊等购物网站，就是企业对消费者（B2C）的电子商务模式。

图2-6　位于美国纽约的雅虎大型广告屏

雅虎的商业模式迅速得到复制，使得疯狂收割流量成为网络公司的固有运营模式，也加速了互联网泡沫的膨胀。2000年，互联网泡沫应声而灭，包括雅虎在内的大多数公司遭遇重创，谷歌则成为为数不多的全身而退的公司之一。

谷歌是目前全球最流行的搜索引擎。谷歌的英文名字"Google"来源于"googol"（即

图2-7　谷歌搜索引擎

10 的 100 次方）的谐音，象征着为用户提供搜索海量优质信息的决心。同其他搜索引擎一样，谷歌关心的是用户最想要什么，这就取决于搜索引擎的质量。此前，雅虎崇尚传统媒体的手工目录分类方式，但是收录的网页太少；DEC 公司开发的 Alta Vista 搜索引擎虽然收录了大量网页，但大部分搜索结果缺乏相关性。而谷歌发明的 PageRank 算法，在网页的质量信息、相关性信息、查全率和查准率等方面均实现了最优。其联合创始人拉里·佩奇和谢尔盖·布林发现，以互联网为整体，网页的链接结构中蕴含着重要程度的信息，也就是说，如果一个网页被很多其他网页链接，那么这个网页的重要性相对较高。PageRank 的核心思想就是让链接来"投票"，一个网页的"得票数"由所有链接向它的页面的重要性来决定，每被一个页面超链接，相当于对该网页投一票，得票的权重则由所有链入页面的重要性经过递归算法得到。由此，谷歌将互联网的内容传送给用户，也将用户使用互联网的习惯从浏览转向了搜索。

  2006 年 3 月 21 日，推特（Twitter）公司创始人杰克·多西发布了第一条推文——"刚刚设置好了我的推特"，宣告了日后风靡全球的社交网络和微博客服务的诞生。2011 年 8 月 23 日，美国弗吉尼亚州发生 5.9 级地震，部分纽约市民是先在推特上看到消息，几秒钟之后才感受到了震感。社交媒体把人类信息传播的速度带到了比地震波还快的时代。

数据是未来的新石油

数据是一种客体存在，它随着文明的发展而不断变化。信息比数据更加抽象，是指音讯、消息、通信系统传输和处理的对象，泛指人类社会传播的一切内容。信息是隐藏在数据背后的规律，需要人们的挖掘和探索才能发现。处理数据和信息之后就会得到知识，而知识是比数据和信息更加高级和抽象的概念。

在很多人的认知中，数据是有根据的数，必须由数值构成。其实不然，在信息时代，数据的范畴远远超出数的范畴，互联网上的文字、图片、视频等是数据，医学影像资料、工业设计图纸等也是数据。人们不断对数据价值进行挖掘，20世纪80年代，美国人预见到数据的重要价值，进而提出"大数据"这一概念。进入21世纪后，随着信息技术的不断发展，人类的数据化能力也

图2-8 现代人的生活离不开大数据

显著增强。2012年2月11日,美国《纽约时报》发表了一篇主题为"大数据时代"的专栏文章,最早明确地提出了大数据时代的来临,"大数据"也由此成为火遍全球的热词。

大数据到底有多大?在2000年,人们认为容量为太字节级别的数据就是大数据。那时很少有公司拥有太字节级别的数据,美国国会图书馆的印刷品馆藏量也不过15太字节。随着互联网全面融入人们的生活,海量数据以越来越快的速度产生,各行各业的数据都在爆炸式增长。特别是社交网络兴起,那些实时记录个人行为和想法的平台使全世界网民都成了数据的生产者。一天之内,人们通过互联网发送的邮件近3000亿封,发布的帖子超200万个,产生的数据可以刻满1.68亿张DVD……数据的量级也已经从太字节跃升到拍字节、艾字节、泽字节甚至更高。预计到2025年,全球的年数据量将达175泽字节。

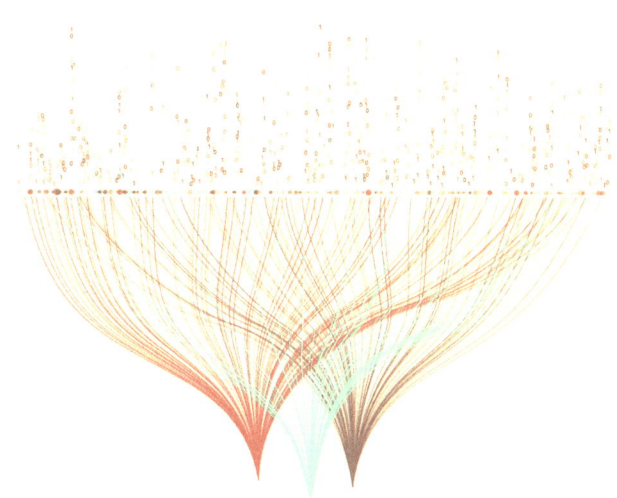

图2-9 大数据是由数量巨大、结构复杂、类型众多的数据构成的数据集合

在数据爆炸的同时，人类存储数据的方式和能力也在发生变革。随着计算机的普及，数据不再仅仅保存在纸上，而是有了新的电子化存储形式。20世纪80年代，人们开始运用网络服务器在线存储数据。现在，我们可以通过云存储服务，在任意时间和地点通过网络连接到云端存取数据。在存储方式革新的背后，是存储能力的提升遵循着摩尔定律。1955年，IBM推出第一款商用硬盘存储器，只有1兆的存储量，售价却高达6000余美元；到了2010年，同等容量的存储器的售价不到1美元。人类能够以低廉的成本保存海量数据，为大数据时代的到来铺平了硬件道路。

数据的重要性在于其中隐藏的信息和知识，而数据与信息知识之间的联系通常是间接的。未经处理的原始数据往往效益有限，因而大数据的价值取决于人们使用数据的能力和水平。数据挖掘相当于沙里淘金，主要通过特定算法对大量数据进行自动分析，从而揭示数据中隐藏的规律和趋势。这样一来，数据成为燃料，算法成为引擎，只要找到足量的代表性数据，就可以通过数学模型以数据驱动来预测未知和辅助决策。

链接

科学家言论

科学家彼得·诺维格曾说："谷歌没有更好的算法，有的是更多的数据。"

图灵奖获得者詹姆斯·格雷曾说："每18个月，全球新增网络数据量是有史以来所有量的总和。"

云计算

你是否注意到，IT 行业一样追求潮流，比如近年来云计算的流行。以前的数据中心现在升级为云计算中心，以前的网络硬盘现在升级为云存储等，这些都是云计算概念泛滥的表现。

其实，云计算比大数据"成名"要早。早在 1994 年，"云"就被用于指代分布式计算。现代意义上的云计算于 1996 年出现在康柏电脑公司的文件中。2006 年，亚马逊推出弹性计算云服务，使云计算广为人知。随后，微软、甲骨文等 IT 巨头也开始搭建云平台，借力云计算。时至今日，云计算、大数据总被相提并论。它们的关系有如函数方程 $y=f(x)$，其中，x 代表大数据，f 代表云计算，y 代表预期目标。也就是说，云计算既是处理大数据的运算法则，又是挖掘数据价值的技术手段。

图 2-10　云计算是信息时代继互联网、计算机后的又一革新

虽然云计算的解释五花八门，但是其本质是一种基于互联网的计算模式，通过互联网将计算任务配置给计算资源共享池，使用户能够按需获取软硬件资源和信息。也就是说，计算能力、存储空间和信息服务也成了网购商品，用户只要根据需求付费即可，至于相关的基础设施、核心技术和工程用户完全可以不用关注。而之所以称为"云"，是因为同现实中的云一样，确实有许多相似的特征，具体如下：一、规模庞大，谷歌云计算中心拥有上百万台服务器，具有超强的计算能力；二、弹性伸缩，云计算能够根据应用需求配置计算资源；三、飘忽不定，云计算所提供的服务并非来自某个固定有形实体，用户无需了解其资源供应的具体位置等。

云计算的服务大致可分为三种类型：第一种是将基础设施作为服务，比如IBM公司以企业级用户为服务对象，以推销云计算服务器为商业模式；第二种是将平台作为服务内容，比如亚马逊公司为商家提供的网站托管建立服务；第三种是将软件作为服务内容，比如谷歌公司将客户端软件的许多功能搬到了网络上。对于用户而言，只要接入网络，不仅可以随时随地访问、处理和共享信息，还可以按需使用云端的大量计算资源，而无需自行购置设备。

因此，许多业内人士预计云计算在全社会的普及将从根本上颠覆传统IT产业链。有了互联网这一平台，服务器端将在软件、硬件两个方面向传统的客户端发出挑战，云计算将可能撼动微软、英特尔在IT产业领域的主导地位。当所有应用都放在服务器端时，用户只需要通过浏览器进行访问即可，计算机操作系统、客户端软件将成为"鸡肋"。当越来越多的计算处理工作从客户端回到服务器端，用户对外设终端及其性能的依赖也将减少，按其喜好和需求选择笔记本电脑、智能手机、平板电脑中的任意一个接入网络即可，至于设备的运算、存储等能力也就无关紧要了。由此，最极端的情况可能是除了浏览器和插件外，用户在客户端将不需要安装任何其他应用软件。

云计算持续被用于社会各个领域，不同的新概念也接踵而至，比如云存储。云存储是在云计算概念上延伸和发展出来的一个新的概念，是指通过集群应用、网格技术或分布式文件系统等功能，将网络中大量各种不同类型的存储设备通过应用软件集合起来协同工作，共同对外提供数据存储和业务访问功能的一个系统。除了云计算，你也可以尝试去了解云教育、云社交、云安全等其他云服务。

图2-11　云计算与人们的生活息息相关

物联网

通过电子标签实时追踪遗失物品，回家前用远程遥控打开空调、电脑，由书包自动提醒忘带的课本、作业等。这些生活中的智能场景已经不再只停留于电影镜头里，而是成了物联网时代的日常情景。

图 2-12　物联网改变生活

其实，物联网算不上新兴产物。让万物通过互联网连接到一起的设想，在 1995 年由比尔·盖茨在《未来之路》一书中最早提及。1999 年，美国 Auto-ID 中心在物品编码、无线射频识别技术和互联网的基础上，首先提出物联网的概念。2005 年，国际电信联盟发布的《ITU 互联网报告 2005：物联网》提出了任何时刻、任何地点、任何物体的互联，以及无所不在的网络通信和计算的愿景。

随后，通过网络连接物理世界和信息世界的构想不断提出，美国的"智慧地球"、我国的"感知中国"等都旨在大力发展物联网技术，为世界万物打上智能标签。

同互联网仅一字之差的物联网，是由物理世界的联网需求和信息世界的扩展需求共同催生的一类新型网络。如果说互联网是解决计算机和计算机对话的问题，那么物联网就是解决人和物理世界对话的问题。由此，物联网将联网终端从计算机延伸到作为"物"的物体、环境等，从而通过网络化的计算能力将物理世界信息化、网络化。也就是说，物联网是互联网技术和物理世界的融合，其中的每个物联设备都可以成为一个产生并收集数据的节点，物物均可通信、物物均可控制。

物联网形式多样、技术复杂、牵涉广泛。一般而言，根据信息的产生、传输、处理和应用流程，相应地可以将物联网分为感知识别层、网络构建层、管理服务层和综合应用层四个层次。感知识别层能够联系物理世界和信息世界，是建立物联网的基础。感知识别层包括射频识别、无线传感器等信息自动生成设备，赋予物品"开口说话"的能力。网络构建层的作用在于将感知识别层所产生的数据接入互联网，是实现物物互联的重要基础设施。网络构建层的核心网络有互联网、无线局域网等，包括日常使用的 Wi-Fi、GPS、5G 通信技术等都为物理世界的数字化提供便捷的网络接入。管理服务层是收集和存储大规模数据的支撑平台，从而为综合应用层提供支撑，其中涉及前述的大数据、云计算等技术。综合应用层是物联网网络应用的具体体现，代表物联网体系的成果。随着网络终端的增加、接入技术的进步等，物联网的网络应用也在不断拓展,既包括工业领域的智能物流、智能电网,也包括民用范畴的物品追踪、智能交通等。

物联网的产生与发展在给人们带来便利的同时,相应地也会产生一些问题。一是安全问题,国家、企业机密是否更容易泄露。二是隐私问题,追踪和定位某个特定用户或物品,从而获得相关信息,是否侵犯了个人隐私。三是商业模式问题,物联网商用模式有待完善。四是物联网的政策和法规问题,需要由国家制定出适合这个行业发展的政策和法规,以保证其健康发展。五是技术标准的统一与协调问题,是否能形成统一技术标准及管理机制。六是应用的开发问题,物联网的价值不是一个可传感的网络,而是需要各个行业参与进来并进行应用,根据行业的特点,进行深入的研究和有价值的开发。

如今,更广泛的互联互通、更透彻的感知以及更深入的智能正在拉动物联网的迅猛发展。有专家预计,到2025年,全球物联网终端连接数量将达到250亿个。

图2-13 物联网能够实现对物品的智能化识别、定位、跟踪、监控和管理

人工智能

机器能思考吗？1950年，英国数学家艾伦·麦席森·图灵认为计算机可以智能化，于是提出了这个问题。他没有尝试给"智能"下定义，而是提出了作为智能存在证据的图灵试验，即如果一台计算机可以在 5 分钟内回答测试者提出的一系列问题，并有超过 30% 的回答让测试者误认为是人类所答的，那么就可以说这台计算机具备了人工智能。图灵在开创人工智能研究领域的同时，也开始思考如何制造智能机器。

艾伦·麦席森·图灵（1912-1954）

人工智能这一术语在 1956 年召开的达特茅斯会议上得以提出，并正式成为一个计算机学科领域的分支。那么，什么是人工智能呢？提出"人工智能"这一概念的约翰·麦卡锡谈道："人工智能是研究让计算机完成人类需要动用智力才能完成的一门学科。"图灵奖得主马文·明斯基则表示："人工智能就是让机器来完成那些如果由人来做则需要智能的事情的科学。"我们可以将人工智能理解为高级仿生学，它通过理解智能体，进行建造智能体的尝试。由此，人工智能研究渗透于各个领域，从通用的感知、学习、决策、记忆等，到专业的下棋、写诗、证明定理、诊断疾病等都有人工智能的身影。一般认为，人工智能主流技术的发展大致经过三个阶段。20世纪50年代至70年代初，人工智能研究处于"推理期"。受到计算机能够像人类思维一样处理抽象符号的鼓舞，人们认为只要赋予机器逻辑推理能力，机器就能具有智能。这一阶段，人工智能研究集中于求解时看到好像需要智能的有限问题，于是只要计算机能够超越算术运算而做了任何更"聪明"的事情，都会令人感到惊讶。例如，STUDENT程序（1967年）能够求解简单的一元一次方程应用题，ANALOGY程序（1968年）能够求解智商测试中常见的几何类推问题。但是，求解更大规模、更为困难的问题时，这些早期系统程序都遭遇了失败。

从20世纪70年代开始，人工智能研究进入"知识期"。人们希望通过给计算机灌输足够数量和深度的相关领域专业知识，使其具有智能。也就是说，要求解一个难题时，计算机已经差不多知道答案。在这一时期，大量专家系统得以问世。例如，早期的DENDRAL程序（1969年）能够根据质谱仪提供的信息，推断分子结构；MYCIN程序收录了450条规则，在血液诊断方面的表现接近于专家。但是，将知识教给计算机并使其进行表示和推理的难度极高，专家系统同样面临"知识瓶颈"。

由此，人工智能研究进入"学习期"。人们的关注重心逐渐由算法转向数据，只要学习方法有足够的数据可用，即可从数据中自动获取知识。在拥有海量数据的情况下，通过减少数据规模、降低数据维度或增强现有学习算法的扩展性，成为机器学习研究的主流。2016 年 3 月，DeepMind 公司融合深度学习、强化学习和蒙特卡洛树搜索等方法

图 2-15　对弈人工智能

开发的 AlphaGo 围棋程序，以 4 比 1 战胜世界围棋冠军李世石九段，并成为韩国棋院有史以来第一位名誉职业九段的人工智能机器人。

　　仅通过一种技术不可能应对所有挑战，必须借助多种路径才能实现人工智能。Palm 计算公司创始人杰夫·霍金斯主张，唯有基于大脑工作原理建造的智能机器，才具有真智能。纽约大学婴儿语言中心主任盖瑞·马库斯则指出，实现人工智能的路径蕴藏于儿童的学习模式中，并由此解决计算机无法形成抽象知识的问题。

　　你认为人工智能的未来会是怎样的？

科学在身边

在日常生活中，人们经常接触的机械制造产品，除了自行车、钟表外，最常见的可能要数家用电器了。家用电器，顾名思义就是用电作为动力，在家庭中使用的日用器具，这些器具能帮助人们从繁重、琐碎、费时的家务劳动中解脱出来，为人类创造更舒适整洁、更有利于身心健康的生活和工作环境。可以说，家用电器已经成为现代家庭生活的必需品。下面让我们分门别类地来认识一下家用电器的各类代表吧。

制冷电器

制冷电器是用于冷冻、冷藏物品和制作冷饮料的一类家用电器，人们最熟悉的有冰箱、冰柜和冷饮自动售卖机等。但是人们往往只知道这些设备能制冷，可以冷冻、冷藏食品和饮料等，对于其制冷原理并不一定完全了解。

图 3-1　冰箱是一种常见的制冷电器

一般说来，按照制冷方式，这些制冷电器主要可以分为压缩式制冷、吸收式制冷和热电制冷（又称半导体制冷）等。现代家庭中用的冰箱主要采用的是压缩式制冷。压缩式制冷是利用压缩机对封闭系统中的气态制冷剂进行压缩，制冷剂在循环流动中经过冷凝、干燥过滤、节流膨胀、蒸发，从而实现制冷功能。1822年，英国物理学家法拉第发现了二氧化碳、氨气、氯气等气体在加压的条件下会变成液体，压强降低时又会变成气体的现象，在由液体变为气体的过程中会大量吸收热量，从而使周围环境的温度迅速下降。法拉第的这一发现为后人发明压缩机等人工制冷技术提供了理论基础。第一台人工制冷压缩机是由澳大利亚人哈里森于1851年发明的。哈里森经过研究制造了使用乙醚和冰箱压力泵的冷冻机。1873年，德国化学家、工程师卡尔·冯·林德发明了以氨气为制冷剂的冷冻机。而第一台用电动机带动压缩机工作的冰箱是由瑞典工程师布莱顿和孟德斯于1923年发明的。吸收式制冷是利用充入封闭系统中的氨气、氢气、水蒸气的连续扩散吸收作用实现制冷功能。这种冰箱的缺点是效率低、降温慢，现已逐渐被淘汰。热电制冷是利用半导体材料的帕尔帖效应实现制冷功能。所谓帕尔帖效应，是指当有电流通过不同导体组成的回路时，除产生不可逆的焦耳热外，在不同导体的接头处随着电流方向的不同会分别出现吸热、放热现象，这是法国科学家帕尔帖在1834年发现的。热电制冷的冰箱就是利用对PN型半导体通以直流电，在结点上产生帕尔帖效应的原理来实现制冷的效果。

电冰箱的结构由箱体、制冷系统和控制系统等组成。在制冷系统中，主要由压缩机、冷凝器、蒸发器和毛细管节流器四部分组成。制冷系统是一个封闭的循环系统，运转时不断吸收箱内的热量，并将其转移、传递至箱外的空气或水中，以实现制冷。制冷系统的心脏就是压缩机，它从吸气管吸入低温低压的制冷剂气体，通过电机运转带动活塞对其进行压缩后，向排气管排出高温高压的制冷剂气体，为制冷循环提供动力，从而实现"压缩 ——→ 冷凝（放热）——→ 膨胀 ——→ 蒸发（吸热）"的制冷循环。

控制系统中主要有温控器、热继电器、过载保护器、门碰开关等，用于控制箱内温度，保证安全运转及自动除霜等。形象地说，压缩式电冰箱的工作原理就是利用低沸点的制冷剂作为热的"搬运工"，蒸发汽化时吸收热量，把冰箱里的"热""搬运"到冰箱外面去。其他制冷电器与冰箱的工作原理大同小异。

图 3-2　冰箱压缩机

空气调节电器

空气调节电器是现代家庭中最常见的家用电器之一,且种类繁多。空气调节电器就是通过各种方式让室内空气温度达到适宜人的生理感受的器具。过去,有电扇、换气扇、空气加(去)湿器、空气清洁器等。

在诸多空气调节电器中,历史最长、品种最多样的可能要数电扇了。电扇的原理是搅动空气,让其加速流通起来,加快人体皮肤汗液的蒸发,从而起到降温的作用。当然,电扇只能对人体起到降温的效果,而没有升温的能力。

图3-3 一些常见的空气调节电器

图 3-4 电扇是人们常用的空气调节电器之一

电扇的外表会让人联想到客机上、直升机上或轮船上的那些飞转的螺旋桨，只是那些桨叶转动是为了助推拉升，而电扇则是一种利用电动机驱动扇叶旋转，使空气加速流通的家用电器。

电扇主要由扇头、风叶、网罩和控制装置等组成，交流电动机是电扇的主要部件，通电线圈在磁场中受力而转动，由此电能就会转化为机械能。

按照电扇的工作原理，由于导线是有电阻的，电流通过电扇的线圈时，不可避免地有一部分电能会转化为热能，产生热量向外排放，导致室内温度升高。

与电扇通过加快空气流通来散热不同，空调制冷降温，是把一个完整的制冷系统装在空调中，再配上风机和一些控制器来实现

> **链接**
>
> ### 你知道吗
>
> 如今直流电机、直流无刷电机等小功率电机在小型电扇中的应用越来越广泛，电扇的品种也越来越繁多，以适应人们不同的生活需要。有的风扇使用直流变频技术，省电、噪声低，更接近自然风，有的风扇甚至没有扇叶，还能净化空气……你知道它们分别是利用什么科学原理运行的吗？

的，就像一个放大的冰箱。

空调的核心是压缩机。空调压缩机的工作回路主要分为蒸发区和冷凝区，也称为低压区和高压区，空调的室内机和室外机分别属于低压区和高压区。空调压缩机都被安装在室外机中，在运行过程中，空调压缩机会将制冷剂从低压区抽取出来，并压缩成高压饱和气体（氨或氟利昂），在被输送到高压区之后通过散热片将热量散发到空气中，这时制冷剂也从原来的气态变为液态，压强随之升高。低压制冷剂液体流向蒸发器中，吸收室内空气的热量而蒸发成气体，从而使室内空气的温度降低，蒸发后的低温低压气体又被压缩机吸回，进行再压缩、冷凝、节流、蒸发，从而不断地降温，这样循环往复就完成了制冷，起到了调节室内空气温度的作用。

空调的制热系统也大致是这个原理，只是方式相反。

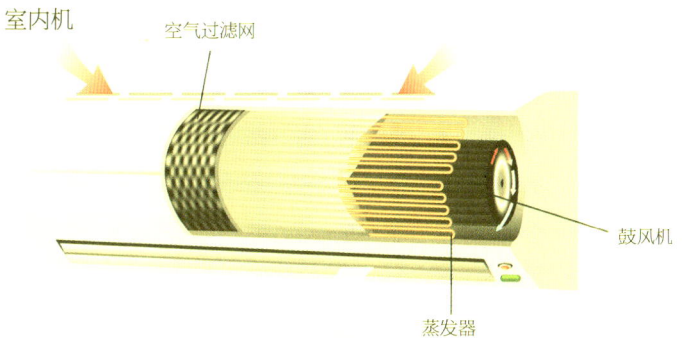

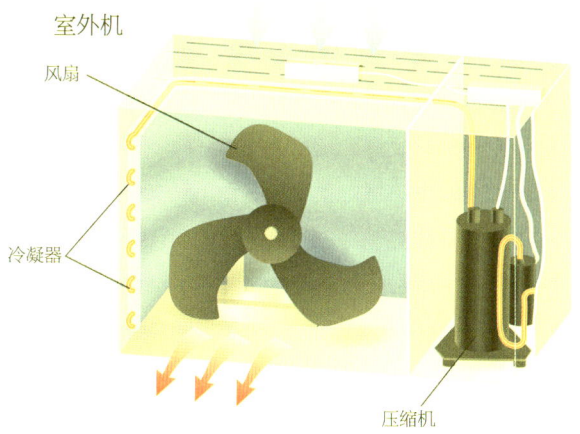

图3-5 空调运转示意图

清洁电器

清洁电器主要是指那些用于清洁物品和室内环境的电器，包括洗衣机、干衣机、电熨斗、吸尘器、地板打蜡机，以及用于厨房脱油排烟的油烟机等。

世界上最早出现的清洁电器是吸尘器和洗衣机。早在1899年，J.苏门发明了世界上第一台电动吸尘器。1901年，美国人费希尔发明了世界上第一台电动洗衣机。在此后几十年中，随着科学技术的进步和人们生活水平的提高，清洁电器的制造和使用越来越普遍。

关于洗衣机的发明，还有一个故事。传说海员在航行中，会把脏衣服用绳子绑好扔在海里拖着，航行一段时间后再把衣服捞起，这样，原来油渍斑斑的衣服就变得干净了。这是有科学依据的，脏衣服在海里拖行而变得干净的过程说明通过一定的物理和化学的方法能够使衣物去污洁净，就像人们使用搓衣板、刷子等物理方法，加上肥皂等化学品来清洗衣服一样。而洗衣机正是利用这些原理而制造出来的。

洗衣机的洗涤过程主要是在排渗、冲刷等机械作用和洗涤液的润湿、分散作用下，洗涤缸通过衣物自身的相互摩擦以及与内桶之间的摩擦达到清洁衣物的目的。洗衣机主要由洗涤缸、电动机、定时器、传动部件、箱体、箱盖及控制面板等组成。

波轮洗衣机依靠装在洗涤缸底部的波轮正向、反向旋转，带动

图 3-6　波轮洗衣机的洗涤缸

衣物旋转，使衣物之间、衣物与缸壁之间来回摩擦，同时，洗涤剂水溶液与脏衣服上的污物发生化学反应，加速了污物的剥离。

　　滚筒洗衣机是由电动机通过减速带轮驱动滚筒旋转，衣物随滚筒旋转上升到高点落下，通过不停的跌落摔打和挤压衣物的机械作用、洗涤剂水溶液的化学作用达到去除污渍、洗净衣物的目的。

　　说完洗衣机，我们再来看看吸尘器的工作原理。

　　吸尘器也是人们比较熟悉的家用电器。吸尘器的工作原理是通过吸尘器内电机的高速旋转，在密封的壳体内产生空气负压，吸取尘屑。但在吸尘器的设计制造中要考虑许多技术细节。首先，从吸入口吸入空气，使尘箱产生一定的真空，灰尘通过地刷、接管、手柄、软管、主吸管进入尘箱中的滤尘袋，灰尘被留在滤尘袋内，过滤后的空气再经过一层过滤片进入电机，这层过滤片是防止尘袋破裂、灰尘吸入电机的一道保护屏障。进入电机的空气经电机流出，由于电机运行中碳刷不断磨损，因此流出吸尘器前又加了一道过滤环节。过滤材料越细密，就可以将空气过滤得越干净，但这样会使吸尘器的透气度变差，以致电机吸入的风量变小，降低吸尘器的工作效率。

图 3-7 吸尘器是人们进行家庭清洁的好帮手

扫地机器人，又称智能扫地机，是智能家用电器的一种，能凭借一定的人工智能，自动在房间内完成清理地板的工作。扫地机器人一般采用刷扫、真空吸口等方式，将地面杂物吸入自身的垃圾收纳盒，从而完成地面清理的工作。

扫地机器人与吸尘器的工作原理有一定的相同之处，但其实它们完全是两类家用电器。从使用范围上看,吸尘器不仅可以对地面浮灰进行清洁,还可以清除室内立面物品上的灰尘。而扫地机器人只能承担光滑、平坦地面的清洁维护工作。从工作原理上看,吸尘器主要通过电动机的高速旋转,在主机内形成真空,利用由此产生的高速气流,从吸入口吸进垃圾,其关键点在于"吸";而扫地机器人则是通过刷扫和吸相结合,先将机器边缘的灰尘扫至吸入口附近,然后再吸入垃圾收纳盒中,关键点是"扫"。

图 3-8 工作中的扫地机器人

厨房电器

近年来,厨房电器的种类变得越来越丰富多样。除了人们经常使用的微波炉、电磁炉、电烤箱、电饭煲、洗碗机等外,还有和面机以及加工面条、饺子皮的食物加工机等。其中不少种类已经成了现代家庭生活中不可或缺的助手。在那些不能烧柴火、用煤炉的地方,电磁炉、电饭煲成为家庭厨房的必备电器。

我们首先来了解一下大家经常使用的微波炉。

微波炉是一种用微波加热食品的现代化烹调灶具。微波是一种高频率的电磁波,其本身并不产生热,在宇宙和自然界中到处都有微波,但存在于自然界的微波比较分散,故不能加热食品。

图3-9 微波炉给人们的生活带来了便利

微波炉由电源、磁控管、控制电路和烹调腔等部分组成。电源向磁控管提供大约4000伏高压，磁控管在电源激励下，连续产生微波，再经过波导系统耦合到烹调腔内。在烹调腔的进口附近，有一个可旋转的、风扇状的金属搅拌器，它旋转起来后对微波进行各个方向的反射，能够将微波能量均匀地分布于烹调腔内。微波炉就是利用其内部的磁控管，将电能转变成微波，以每秒2450兆赫的振荡频率穿透食物，当微波被食物吸收时，食物内的极性分子（如水、脂肪、蛋白质、糖等）即被吸引，并以每秒24亿5千万次的速度快速振荡，使得分子间相互碰撞而产生大量的摩擦热，从而起到使食物里外同时快速加热的目的。

厨房电器的另一个代表是电磁炉，又名电磁灶，是现代厨房革命的产物，它不需要明火或传导式加热，而是利用电磁感应原理，让锅底迅速发热，从而达到加热食品的目的。

电磁炉由高频感应加热线圈（即励磁线圈）、高频电力转换装置、控制器及铁磁材料锅底炊具等部分组成。使用时，加热线圈中通入交变电流，线圈周围便产生交变磁场，交变磁场的磁感线大部分通过金属锅体，在锅底产生大量涡流，从而产生烹饪所需的热源。因为电磁炉煮食的热源来自锅

图 3-10　电磁炉利用电磁感应原理加热食物

具底部,所以热效率要比普通炊具高出近1倍。

电磁炉是由锅底直接感应磁场产生涡流来迅速加热的,因此选用符合电磁炉设计负荷要求的铁质(不锈钢)炊具很重要,其他材质的炊具由于材料电阻率过大或过小,会导致电磁炉负荷异常而启动自动保护功能,不能正常工作。同时由于铁对磁场的吸收充分、屏蔽效果也非常好,也减少了很多磁辐射,所以铁锅比其他材质的炊具更安全。此外,铁还是人体长期需要摄取的必要元素。

由于在加热过程中具有升温快、热效率高、无明火、无烟尘、无有害气体、对周围环境不产生热辐射、安全、卫生等优点,并且体积小巧、外观美观,电磁炉被誉之为"烹饪之神"和"绿色炉具"。

电饭煲是一种能够对食品进行蒸、煮、炖、煨、焖等多种操作功能的现代化厨房电器,它不但能够让食物变熟,而且还能够保温,使用起来清洁卫生,没有污染,省时省力,是现代家务劳动不可缺少的用具之一。

图 3-11　用电饭煲可以做出香喷喷的米饭

使用电饭煲煮饭时，人们只要将放好米和水的内锅放到发热板上，其底部就会与发热板中心的软磁铁贴合。按下煮饭开关，软磁铁下方的永久磁铁即上升至与软磁铁接触；此时锅尚未升温，软磁铁处于居里温度以下，呈良好铁磁性，能被永久磁铁磁化并将其吸持在高点位置。处于高点位置的软磁铁带动内部杠杆动作，将电路上、下触点接通，电热元件通电发热，使锅内升温，从而加热食物。当内锅底温度达到103℃±2℃（此为软磁铁的居里温度）时，软磁铁立即感知而失去磁性，在重力及内部弹簧的共同作用下从高点位置落下，并由此带动杠杆机构，使电路上、下触点脱离，电路断开，电热元件不再发热，达到限温目的。但此时发热板仍处于高热状态，其热容量较大，可对锅内食物继续加热一段时间，直至食物熟透。为了使食物维持适宜食用的温度，有的电饭锅还设有小功率加热线路，用一个双金属片恒温器控制其工作温度。

电暖器具

从某种角度看，电暖器具也可以归类于空气调节电器，但是电热毯、电热被、水热毯、电热服、空间加热器等只侧重于局部加热，而并非作用于整个房间，所以这里我们把它们单独列为一类。

电暖器是指那些利用电热元件通电发热，从而达到取暖目的的一类家用电器。比如和人体直接接触的电热毯、水热毯、电热被、电热垫、温足器等；也有不直接与人体接触，主要依靠辐射、对流等方式实现向人体传送热量的空间加热器、暖风机、电热地板等。

电热毯是一种接触式电暖器具，它将特制的、绝缘性能达到标准的软索式电热元件呈盘蛇状织入或缝入毛毯里，通电时即能发出热量。电热毯中的线芯用玻璃纤维或涤纶丝编成，上面缠绕着柔韧可绕的电热合金丝（或箔带），外面包覆一层尼龙感热层或特种塑料感热层，再将一种铜合金信号线绕在感热层外，最外面涂覆一层耐热树脂。当电热毯上任一点处的温度超过预定值时，该处相应的电热丝上的感热层即由绝缘体变为良导体，使控制电路接通，电热毯断电，达到控温和安全防护的目的。

图 3-12　电热毯

暖风机，顾名思义就是一种能发出暖风的设备，这种设备由电机组、散热器以及通风机组成的制热机械，利用空气加热器制热，然后由通风机将热风送出去，以达到制热供暖的目的。它的取暖温度一般最高可达 40℃。

家用暖风机主要用于家庭，是一种节能、小功率的热风式暖风机，适合小面积取暖，功率一般在 2kW 以下，温度控制在 40℃以内。工业暖风机功率一般都比较大，根据工程需要，常用的有额定电压 220V 和 380V，最大功率可达 220kW。比较常见的有电加热工业暖风机、燃油燃气暖风机等，温度可在 0℃至 800℃间调节。

电暖器具的技术关键是电热元件。电热元件类别繁多，常规品种有电热合金、电热材料、微波加热装置、电磁感应热装置、电热线、电热板、电热带、电热缆、电热盘、电热偶、电加热圈、电热棒、电伴热带、电加热芯、云母发热片、陶瓷发热片、钨钼制品、硅碳棒、钼粉、钨条、电热丝、网带等。人们利用不同电热元件的特点来设计、制造不同的电暖器具。

图 3-13　远红外线电暖器

科学在身边

整容保健电器

有一类家用电器叫作整容保健电器，属于小型电器。这一类家用电器包括电动剃须刀、电吹风、电动按摩器等。

电动剃须刀就是利用电力带动刀片，剃剪胡须和鬓发的整容电器，已经被广泛使用。电动剃须刀由不锈钢网罩、内刀片、微型电动机和壳体组成。网罩即固定的外刀片，上面有许多孔眼，胡须可以伸入孔中。微型电动机靠电能驱动，带动内刀片动作，利用剪切原理，将伸入孔中的胡须切断。

图 3-14　电动剃须刀

电动剃须刀按刀片动作方式可分为旋转式和往复式两类。前者结构简单，噪声较小，力度适中；后者结构复杂，噪声大，但力度大，更锋利。旋转式电动剃须刀按外形结构又可分为直筒式、弯头式、带电推剪式和双头式等。从结构上看，前两种较简单，后两种较复杂。电动剃须刀按原动机类型可分为直流永磁电动机式、交直流两用串激电动机式和电磁振动式三类。

电动剃须刀剃须效果的好坏主要由定刀刃和动刀刃之间的吻合精度决定。定刀刃和动刀刃的球面弧度要配合恰当，同时两刀刃之间要有1毫米左右的压距和一定的剪切角度。压距太小，剃须不锋利，且有拔毛感；如果压距太大，那么耗电量大且刀刃磨损严重，同时还会发出尖锐的噪声。

图 3-15　一个正在使用电动剃须刀的人

定刀采用网状结构，动刀则在动刀架上均匀分布，而且动刀架不能有明显的径面跳动，从而能够保持动刀架旋转平衡，再配以相应的转速，使定刀刃和动刀刃之间的相对运动处于剃须的最佳状态，这样无论动刀片数量多少，都可以达到锋利、快速剃须的目的。

电吹风是一种用于干燥头发的整容电器，也可供实验室、理疗室及工业生产、美工等方面作局部干燥、加热或理疗之用。电吹风按电动机类型可分为单相交流感应式、交直流两用串激式和直流永磁式三种;按送风方式可分为轴流式和离心式两种。

电吹风的种类虽多,但结构大同小异,都是由壳体、手柄、电动机、风叶、电热元件、挡风板、开关、电源线等组成。壳体对内部机件起到保护作用的同时,又可以起到装饰作用。电动机装在壳体内,风叶装在电动机的轴端上。电动机旋转时,进风口吸入空气,出风口吹出风。电吹风的电热元件用电热丝绕制而成,装在电吹风的出风口处,电动机排出的风在出风口被电热丝加热,变成热风送出。

电吹风的电动机和风叶直接相连,通电后电动机带动风叶旋转,从进风口吸入的空气经过电热元件,由开关控制,变成从出风口送出的热风。通常只有当电动机通电时,电热元件才能接通加热,以避免机件过热而损坏。调节吹风机风温的方法之一就是转动外壳

图 3-16　电吹风是人们日常生活中不可缺少的家用电器之一

上的挡风板，进风量少，吹出的风就比较热。有控制开关时，可分档调温，有消磁电阻时可自动控温。有的电吹风通过改变外接电源电压，实现风温和风量的无级调节。这种装置由一组电热丝和一个小风扇组合而成的，通电时，电热丝会产生热量，风扇吹出的风经过电热丝，就会变成热风送出。如果只是小风扇转动，而电热丝不加热，那么吹出来的就只是冷风。

声像电器

声像电器是最早为人们所熟悉的家用电器之一，起先主要指收音机，后来声像电器家族成员迅速发展壮大，又出现了录音机、录像机、摄像机、电视机、微型投影仪、组合音响等。现代家庭离不开声像电器。

收音机虽然在现代家庭中已不多见，但仍是有车一族离不开的设备。在汽车上的人不仅可以从收音机里获取各类交通信息，还能欣赏音乐，缓解疲劳。

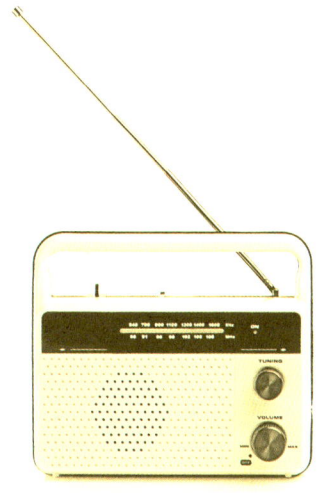

图3-17　收音机

收音机由机械器件、电子器件、磁铁等构造而成，用电能将电波信号转换并能收听广播音频信号的一种设备。随着DSP技术收音机的问世，传统模拟收音机逐渐退出历史舞台，开始进入数字时代。其实，收音机只是信号接收转换的终端，它的接收对象是广播电台播出的节目。电台把节目的声音通过话筒转换成音频电信号，经放大调制后形成无线电波向外发射，这种无线电波被收音机天线接收，然后经过放大、解调，还原为音频电信号，送入喇叭音圈中，引起纸盆相应振动，从而还原声音，即声电转换传送至电声转换的过程。

　　由于广播电台众多，天空中有许多不同频率的无线电波。为了选择我们想听的电台节目，接收天线后有一个选择性电路，它的作用是把所需的信号（电台）挑选出来，把不需要的信号"滤掉"，以免产生干扰，这就是我们收听广播时，所使用的"选台"按钮。选择性电路的输出是选出某个电台的高频调幅信号，利用它直接推动耳机（电声器）是不行的，还必须将它恢复成原来的音频信号，这种还原电路称为解调，把解调的音频信号送到音箱或耳机，我们就可以听到广播了。

　　电视机和收音机的相似之处在于它也是接收发射信号的终端，不过它接收的信号不仅有音频，还有视频。电视机的播放资源来自制作电视节目并通过电视或网络播放的媒体机构——电视台。当电视节目摄制完成后，电视台就把电视节目转化为电磁波，通过无线或有线方式进行传播，为公众提供付费或免费的视频节目。电视机接收到电视信号后，对信号（包括图像信号和伴音信号）进行放大和处理，最终在荧光屏上呈现出图像，并在扬声器中还原出伴音。

简单地说,电视节目的传播过程就是从摄像机、电视中心或转播车,经微波中继线路、发射台,最后到达用户的电视接收机。电视广播卫星和电缆电视分别是全国性和城市区域性电视传输分配的有效手段。我们也可以把电视机称为根据人眼的视觉暂留特性和视觉心理,利用电的方法来传播光学信息的机器。

电视信号从点到面的顺序取样、传送和复现是靠扫描来完成的。每行从左到右扫描,每帧按隔行从上到下分奇数行、偶数行两场扫完,用以减少闪烁感觉。通过扫描传送图像信息。电视摄像是将景物的光像聚焦于摄像管的光敏(或光导)靶面上,靶面各点的光电子的激发或光电导的变化情况随光像各点的亮度而异。当用电子束对靶面扫描时,即产生一个幅度正比于各点景物光像亮度的电信号,传送到老式电视接收机中使显像管屏幕的扫描电子束随输入信号的强弱而变。当与发送端同步扫描时,老式电视机显像管的屏幕上即显现发送的原始图像。

图3-18 老式电视机

图3-19 现代液晶电视机

当我们走进超市或食品市场时，琳琅满目的食品往往会让人眼花缭乱，食指大动。可你是否知道，在这些美味的食品背后，有一支庞大的加工队伍在运作着。这支加工队伍中有许多先进的机械设备，以保证人们能享用到安全鲜美的食物。比如海鲜这种广受欢迎的美味大餐，你可知道，我们餐桌上的许多海鲜有可能捕捞自几千千米以外的大洋中？要知道，因含有特殊的蛋白质，水产品要进行长时间保鲜是很不容易的，尤其是在高温炎热的夏季。如今，水产品加工产业链已成熟，当鱼虾捕捞上来后，马上就会被转移到停在附近水域的水产加工船上进行加工（速冻、加工成各种罐头或小包装），然后再由运输船运往世界各地的市场。这种加工船都是含有高科技的，为的是对海鲜进行加工后仍能保持其鲜美的口感。本章我们将介绍部分食品的生产加工过程，从中你会懂得许多科学道理呢！

一瓶饮料的诞生

现代人的日常生活中离不开饮料,而饮料由于方便携带、口味独特、包装精美,更是受到大多数年轻人的青睐。市面上的饮料品种繁多,虽然在功能、口感、价格等方面不尽相同,但它们的生产过程都严格遵守着国际食品标准和管理规范。

全自动饮料生产线见证了一瓶饮料从原水处理、萃取、调配、高温杀菌到装瓶出货等十余道高度机械化工序的过程。从制坯、吹瓶、灌注、旋盖,到打码、贴标、包箱、码垛等生产环节,全部无缝衔接,所以大大提高了生产效率,减少了人工生产过程中可能出现的问题。

图4-1 全自动饮料生产线

PET 瓶生产线又叫全自动瓶坯生产线。PET 即聚对苯二甲酸乙二醇酯，是制作饮料瓶的一种材料。常见的可乐、矿泉水几乎都使用 PET 瓶进行灌装。这种材料质量轻、透明度高，并且耐冲击、不易碎裂，虽然不耐高温，但用来做饮料瓶再合适不过了。一个个装有 PET 粒子的小瓶坯经过吹塑定型等工艺处理后，便成了生活中常见的饮料瓶。这类生产线每小时可制造出四万多个饮料瓶。

图 4-2　PET 瓶生产线

水是饮料生产中用料最大的原料，而且水质的优劣对饮料的品质影响极大。在被调配成饮料之前，水原料需要经过余氯检测，沙石过滤、活性炭过滤、杀菌等工序，之后，再通过反渗透膜去除矿物质粒子和多余的杂质。

饮料生产，最重要的是保持无菌。杀菌，是饮料加工过程中的一个重要环节。饮料杀菌有两个要求：一是要求杀死饮料中所污染的致病菌、腐败菌，破坏食品中的酶而使饮料在特定环境中

（如密闭的瓶内、罐内或其他包装容器内）有一定的保存期；二是要求在杀菌过程中尽可能地保持饮料中的营养成分和风味。瓶装等有包装容器的饮料通常使用常压、加压、微波、远红外线、紫外线等杀菌手段。

灌装间是远离灰尘的一方净土。这里的空气要经过除尘过滤，用尘埃粒子检测仪检测合格后才允许生产。灌装间里，空气中悬浮的颗粒要达到万级以上，换句话说，空气中灰尘的数量和大小都受到严格限制。灌装间需要定期进行消毒杀菌，并通过浮游微生物标准检测和沉降菌检测来控制空气里的微生物数量。

图 4-3　全自动饮料灌装机

近年来，中国瓶装水企业陆续加入了国际瓶装水协会（International Bottled Water Association，IBWA），这意味着市场上的瓶装饮料的品质、生产流程、监控管理已达国际水平。随着一次性消费瓶装水需求的不断增大，人们开始思考如何能够有效减少塑料制品的消耗并对其进行循环利用,最终达到节能环保的目的。顺应全球液态食品行业发展的主流趋势,越来越多的企业采用轻量瓶生产工艺,运用节能环保技术,从而进一步有效降低了企业生产的能源损耗。

人工养殖的是与非

提起现代人工养殖,许多人可能会联想到饲料安全、使用激素和抗生素、品种怪异等负面新闻。因此,人们更偏好购买散养的家禽。

现代人工养殖又称作集约化养殖,主要有五大优点:优良的品种、适宜的环境、优质的饲料、疾病的防控和完善的管理。在人工养殖中,养殖户通常会倾向于选择饲料利用率高、生长迅速、抗病力强,而且口味和品质都较好的品种。

比如荷斯坦牛,又

图4-4　黑白相间的荷斯坦牛

称黑白花奶牛,我们平时所喝的牛奶,大部分是这种奶牛所产,其特点是产奶量很高。我国传统养殖的奶牛,一年的产奶量为1～4吨,而这种原产于荷兰的荷斯坦牛,一年的产奶量接近10吨。

曾有传闻说快餐店里的鸡都是用激素喂大的,因此白羽肉鸡被一些消费者称作"速生鸡",这到底是不是真的呢?事实上,这种肉鸡是家禽科技人员通过无数次杂交育种和极为严格的饲养方法选育出来的,它的特点是生长速度快,正常情况下四五十天就可长到约3千克。根据我国《商品肉鸡生产技术规程》的规定:肉鸡在六周龄(42天)的标准体重为2.42千克。现代人工养殖的饲料经过专业配比,添加了肉鸡生长过程中需要的谷物和营养素,就像婴儿有专门配比的奶粉一样。

图4-5 养殖场中的白羽肉鸡

还有关于水产养殖业的谣言。有媒体曾报道过某养殖户在黄鳝饲料中添加避孕药,使黄鳝长得又肥又大。事实上,黄鳝是一种具有雌雄性逆转特性的生物,雄性体形较大,雌性体形一般较小。而避孕药含有雌激素成分,黄鳝摄入雌激素后会转为雌性,对养殖户来说这毫无疑问是一件得不偿失的事。

后来还出现了"避孕药养虾""避孕药养蟹"之类的谣言。但真实情况是，虾属于低等无脊椎动物，高等脊椎动物的避孕药对其根本不起作用。而蟹黄和蟹膏都是蟹的性腺，避孕药会抑制其性腺的发育成熟，没了蟹黄和蟹膏的大闸蟹，其美味也将大打折扣。《饲料和饲料添加剂管理条例》和《兽药管理条例》更是明文禁止养殖户使用激素饲养。因此，在正规合法的养殖场中，存在"激素养殖"的可能性很小。

图 4-6　美味的大闸蟹

但人工养殖的动物确实也存在问题，那就是抗生素残留。不过，只有当抗生素残留剂量达到一定量，才会引发安全问题。我国《中华人民共和国农业部公告第 235 号》中详细规定了各种兽药在养殖动物身上的安全残留剂量的标准，只要使用剂量在规定范围内，养殖动物就可以放心食用。

近年来，禽流感频发，逐渐暴露出传统家禽养殖模式的弊端。

散养存在着饲料安全性差、兽药使用混乱、疫情防控薄弱、质量监管不到位等问题。从禽流感的防治经验来看，集约化养殖场出现禽流感的概率通常比较小。面对资源匮乏、需求增加的市场环境，现代集约化养殖模式正在逐步取代传统散养的人工养殖模式，这也是人类健康安全的迫切需求。

冷鲜肉当道

随着生活水平的提高，人们对食品质量的要求自然也更上一层楼。除了口味要好，人们也越来越注重食品的健康和安全。如今市场上销售的肉类产品被划分为三大类：热鲜肉、冷冻肉和冷鲜肉。

生猪在清晨宰杀后直接上市，不经过冷库降温处理，肉温与气温相同，叫作热鲜肉，菜市场的肉摊上贩卖的大都是这类肉。宰杀后在-18℃以下冷冻，直至坚硬如冰的叫冷冻肉。而宰杀后速冻至0℃～4℃，但不使鲜肉进入"结冰"状态，且整条冷链始终控制在这个温值范围内，具有十日左右的保质期，在保质期内，肉质鲜嫩又富有弹性，这就是冷鲜肉。

冷鲜肉是如何进行加工的呢？以猪肉加工为例，一头宰前检验合格的生猪，首先需要洗刷干净再进车间，用全自动心脑麻电

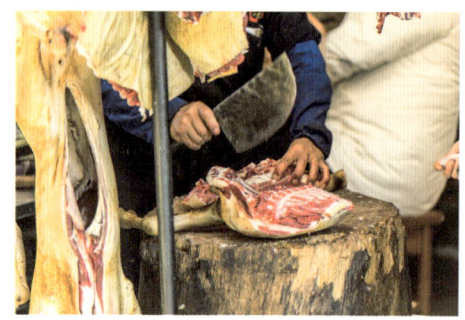

图 4-7 热鲜肉

图 4-8 冷冻肉

图 4-9 冷鲜肉

机一次性将其击晕，再把处于麻昏状态的生猪挂到挂钩上进行穿刺放血，接着采用脉冲感应法自动燎毛并杀灭其体表微生物。在整个宰杀过程中，操作员需要站在一米多高的工作台上操作，生猪一直在挂钩上，远离地面。动物检疫部门派检验人员在生产线设岗，对每头屠宰猪进行针对瘦肉精、旋毛虫等问题的现场检验。无论检验人员、技术工人还是机械操作员，都必须严格按规定将屠宰过上一头猪的刀具进行专业高温消毒后，再用来屠宰下一头猪，以防止交叉感染。

无论春夏秋冬，分割车间的室温始终控制在12℃左右，白条肉在这里被分割成里脊肉、排骨、猪蹄等上百个单品后，再分别包装放入冷藏车，运往各地的超市和农贸市场。

图4-10　车间工人在进行猪肉分割

专业人士将冷鲜肉的优点总结为三个：一是安全系数高，冷鲜肉从原料检疫、屠宰、快冷分割到剔骨、包装、运输、贮藏、销售，全过程始终处于严格监控下，防止可能的污染和不安全因素；二是营养价值高，冷鲜肉因其未经冻结，食用前无须解冻，不会产生营养流失；三是感官舒适性高，冷鲜肉在规定的保质期内色泽鲜亮，肉质柔软，肌红蛋白不会褐变，看上去与热鲜肉没有太大区别。

早在20世纪二三十年代，一些发达国家就开始推广冷鲜肉，在这些国家目前消费的生鲜肉中，冷鲜肉占到90%左右。中国传统肉类加工企业也在走向现代化，逐步由传统的作坊式制作向现代化工作车间迈进。

牛奶的前世与今生

如今，牛奶已经成为餐桌上的常见食物，喝牛奶的好处已被越来越多的人所认可。牛奶是最古老的天然饮料之一，其营养价值很高，被誉为"白色血液"。牛奶中所含的矿物成分非常丰富，除了我们所熟知的钙以外，磷、铁、锌、铜、锰、钼的含量也都很高。最难得的是，牛奶是人体钙的最佳来源，而且钙磷比非常适当，利于人类对钙的吸收。

牛奶曾经是奢侈品，是富裕家庭的专属，也曾经是特殊的供给物资，帮助战场上的战士取得胜利。从牧场到工厂，从工厂到餐桌，牛奶工厂全自动化的生产流程、杀菌技术、包装技术和保鲜方法，更是对科学技术的发展过程作了重要记录。

各国的学术界和食品管理机构都不建议喝生奶。未经处理的生奶从牧场运送到消费者手上的过程中会有无数细菌滋生。因此，灭菌是现代牛奶产销中一个不可缺少的环节。

纵观牛奶在人类社会发展史中的进程，两次技术革命对其起

图 4-11　牛奶是餐桌上常见的营养食品

到了决定性的作用：19 世纪，法国微生物学家巴斯德发现，细菌是使食物腐败变质的根本原因，他提出巴氏杀菌法，采用低温杀菌、冷藏保存的方式解决食物保存期短的问题，延长了保质期，从此牛奶可以在 4℃ 以下的环境中保存 2～4 天；20 世纪 50 年代，

图 4-12　现代牛奶的灌装设备

随着第二次技术革命的发生,超高温瞬时灭菌法应运而生。经过超高温瞬时灭菌的牛奶配合无菌密封灌装技术,可以在常温下保存45天至6个月,便于远途输送。至此,牛奶走进了千家万户。

图4-13 超市货架上的常温奶

关于巴氏奶与常温奶的争论一直存在。常温奶更方便运输和保存,而巴氏奶的倡导者则强调常温奶的超高温灭菌环节破坏了牛奶的营养。

巴氏灭菌的目标是把细菌数量降至十万分之一。经过巴氏灭菌,牛奶中的细菌并不会被完全灭杀,仍保留了一部分无害或有益、较耐热的细菌或细菌芽孢,因此在灭菌之后仍需在4℃左右的温度下保存。即使在冷藏条件下,残存的细菌也还是会缓慢滋生。巴氏奶的保质期其实是指这些细菌长到某个数量之前的时间。巴氏灭菌既可杀死对健康有害的病原菌,又可使奶质尽量少地发生变化,对牛奶的口味和营养影响较小。

常温奶即采用超高温瞬时灭菌技术(Ultra-high temperature instantaneous sterilization,UHT)(通常高于135℃)生产加工,并

灌装入无菌包装内的牛奶，也称 UHT 奶。经过超高温瞬时灭菌处理的牛奶即使不冷藏，也可以保存 1～6 个月甚至更长时间。

超高温瞬时灭菌具有更"严苛"的加热环节，会使牛奶中一些不耐热的营养成分如维生素等遭到破坏，并影响牛奶原有的口感。不过，人们喝牛奶主要是为了获取其中的蛋白质和钙，而蛋白质和钙不会因为超高温瞬时灭菌损失，高温加热并不会影响人体对它们的吸收利用。

随着牛奶消费市场的扩大，人们对牛奶将会有越来越深的了解，中国也会成为全球最具竞争力和活力的乳业市场之一。

食品添加剂的真相

食品行业的人经常会说："食品添加剂是食品工业的灵魂。"为什么这样说呢？因为食品添加剂在食品加工中的作用实在是太重要了。可现实生活中，不少人认为不含添加剂的食品更加安全。他们不明白，好端端的食品，干吗非要添加东西呢？

食品添加剂能改善食品品质和色、香、味，多为人工合成化合物或天然物质。我国目前批准使用的食品添加剂有 2000 多种，按功能分为 20 多个类别。人们比较熟悉的主要有保水剂、防腐保

图 4-14　五颜六色的食品添加剂

鲜剂、抗氧化剂、香精、乳化剂、甜味剂、膨松剂、凝固剂、消泡剂、漂白剂、脱氧剂、着色剂等。

　　作为一种常用的化工产品，从积极意义上来说，食品添加剂给人类的生活带来了极大便利，提高了人类的生活水平。比如为了保持或提高食品本身的营养价值，在高钙饼干、高铁酱油里添加的营养氧化剂；为提高食品的质量，并保持稳定性，在食用油中添加的抗氧化剂；为使冰淇淋口感更软糯润滑添加的乳化剂、增稠剂；为增加食品甜度的同时又能减少能量摄入的甜味剂，如糖精、安赛蜜、阿斯巴甜等。

　　得益于食品添加剂，我们才能在超市里购买到品种丰富的食品，甚至足不出户就能品尝到世界各地的美食。

　　老百姓之所以对食品添加剂比较排斥，可能是因为曾经发生的三聚氰胺、苏丹红、塑化剂等负面事件。在我国，只有列入《食品添加剂使用标准》中的品种才可以被称为食品添加剂，除此之

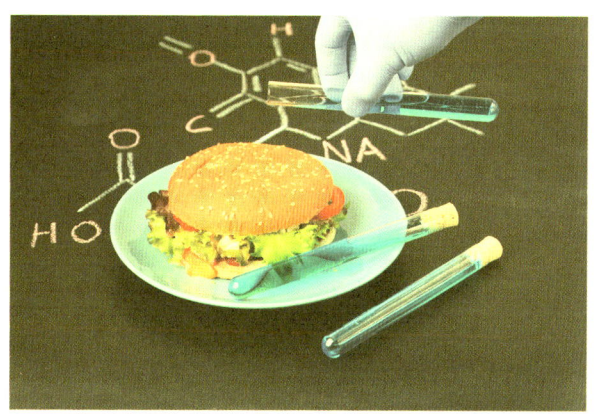

图 4-15 食品与食品添加剂

外均为非法添加物,如媒体曝光的孔雀石绿、瘦肉精、苏丹红、三聚氰胺、塑化剂等。

实际上,食品添加剂的生产需要经过严格的评估和检测:需要经过一系列动物实验,对其急性毒性、遗传毒性、致癌毒性、致畸毒性等进行综合评估,在确定对人类身体没有安全隐患后才可以被批准使用,以确保人们食用安全。只要不超过每日允许摄入量,食用含添加剂的食品是不会有害健康的。如防腐剂山梨酸钾的每日允许摄入量为 0～25 毫克,但实际上一个体重 50 千克的人每日允许摄入的山梨酸钾为 1250 毫克。

有些商家利用消费者心理,大肆宣传自己的"不含防腐剂""零添加"食品。首先,完全不使用食品添加剂的食品在现代食品工业环境下已经很难找到,至少在整个加工工艺链条中完全不使用加工助剂几乎是不可能的。其次,规范食品添加剂使用,本身就起到了保障安全的作用,"零添加"绝不可能在安全性上变成"优等生"。

食品包装的历史

和食物本身一样,食品包装的历史也非常悠久。在古代,当人们需要用器皿来装盛食物的时候,通常会到大自然中寻找葫芦、竹节、卷曲的大片树叶、大型贝壳等,而后渐渐有了中间被挖空的木碗、竹子编制的器物、皮革制造的器皿等。大约在八千年以前,人类开始掌握陶器制造技术,制造出的陶器不光可以用来装盛食物、还可以储存食物,甚至加热食物。

19世纪初,法国皇帝拿破仑悬赏12000法郎,征求行军中食物的保存方法。法国人尼古拉·阿佩尔提供了他的发明并于1810年赢得赏金。隔年,阿佩尔出版了《保存动物与蔬菜食材的技术》,这是最早谈及现代食物保存法的一本书。

图4-16　各种陶器

1810年，英国人彼得·杜伦发明了用锡罐保存食物的方法，这种方法开创了现代罐头的制作历史。最初人们用剪刀和烙铁等工具进行简单的手工制作，每日的产量只有六七十个。1849年，美国正式研制出了冲盖机，奠定了三片罐制造的基础。经过不断的技术改进，自动制罐机得到迅速发展。到1910年，这种机器

图4-17　各类罐头食品

阿佩尔的食品贮藏法

"阿佩尔之家"是世界上第一家商业罐头生产商，阿佩尔的方法是用厚壁广口玻璃瓶装置各类食物，包含牛肉、鸟肉、蛋、乳类与已烹调的食物等。阿佩尔为了宣传，向人们展示如何保存一只熟了的全羊。他在瓶顶留一个气室，用虎钳将软木塞牢固地塞住瓶口，再以帆布将整个瓶子包裹保护起来，最后浸入沸水中烹煮。烹煮时长为阿佩尔认为能够足以使内容物熟透的时间。这个方法简单可行，从而得以快速传播。

每分钟的制罐数量可达 120 只左右。1930 年，经改良的自动制罐机每分钟可以生产约 300 只金属罐。金属罐头是一种密封性良好，可以完整保存食物的包装容器，食物经过灭菌和密封处理后，在金属罐中可以储存数年而不变质。

人类开始对食物包装进行探索和研究时，首先是希望减缓食物的腐败速度。食物本身含有一定的营养成分和水分，这也是细菌、霉菌、酵母等生产繁殖的基本条件。当温度适合时，它们便开始繁殖，从而使食物腐败变质。如果食物采用无菌包装或包装后进行高温杀菌、冷藏等技术处理，就会减缓食物腐败的速度，从而延长食物的保质期。

我们已经知道，食物本身含有一定的水分，当这些水分的含量发生变化时，或多或少地都会导致食物风味的变化。如果采用相应的防潮包装技术就能防止上述现象的发生，也能有效地延长食物的保质期。

图 4-18　各种食品包装

有的生鲜食物易腐败变质，不易远途运输，如水果和水产品等。要是在其产地就制成各种罐头，不但能减少浪费，还能降低运输成本，并能提高食品流通的合理性和计划性。

另外，食物在流通过程中，受到日光和灯光的直接照射，或者处于高温环境，易发生氧化、变色、变味等现象。如果采用真空包装、充气包装等技术和使用合适的包装材料，就能有效地延长包装食物的保质期。

随着人们对食物新鲜度的要求越来越高，罐头食品已经渐渐不那么流行了。不过，随着大型超市的普及以及食品品种的迭代更新，食品包装对消费的影响将会越来越大。

水果保鲜冻龄术

与人体一样，水果每天也要进行新陈代谢，它们会脱水、腐烂，甚至霉变。为了延缓水果的变质进程，各种贮存技术如冷藏、真空、热处理等被广泛应用。

冰箱保鲜：对于普通消费者而言，冰箱通常是家庭储藏食品的"仓库"。实验证明，适合水果保存的温度为7℃～13℃，而且并不是每种水果都适合放进冰箱里保鲜。一般说来，苹果、葡萄、桃子、李子、柿子等水果适合冷藏。这些水果在放入冰箱前可先不清洗，以塑料袋或纸袋装好，在袋上扎几个小孔以保持透气。而一些原产于热带的香蕉、杧果、木瓜等水果，大部分比较怕冷，放入冰箱反而会使果皮上起斑点或变成黑褐色，损坏水果品质。

图 4-19　各种变质的水果

图 4-20　冷藏在冰箱中的水果

微波保鲜：它采用微波在很短的时间（通常为 2 分钟左右）内，迅速将水果加热到 72℃，然后将这种经处理的水果放置在 0℃～4℃的环境下上市，可贮存 42～45 天而不会变质。这种方法适用于在销售淡季供应"时令水果"。

可食用的水果保鲜剂保鲜：它是采用蔗糖、淀粉、脂肪酸和聚酯物配制而成的一种"半透明乳液"，既可喷雾，又可涂刷，还可覆盖于西红柿、甜椒、茄子、黄瓜、苹果、西瓜、香蕉等蔬果的表面，可将其保鲜期延长至 200 天以上。这是由于这种保鲜剂在蔬果表面形成一层"密封薄膜"，这层薄膜阻隔了空气中的氧气，从而延长水果熟化过程，达到保鲜的目的。

新型薄膜保鲜：由两片具有较强透水性的半透明尼龙膜所组成，在膜之间涂有天然糊料和渗透压高的砂糖糖浆，能缓慢地吸收从果实、肉类等表面渗出的水分，从而达到保鲜目的。

加压保鲜：水果加压杀菌后可延长保鲜时间，保持口味新鲜。但在加压状态下，酸无法发挥作用，因此要是能在水果最新鲜的状态下加压，保存水果的效果最为理想。

微生物保鲜：乙烯具有促进水果老化和成熟的作用，所以为了达到使水果保鲜的目的，就必须去除乙烯。科学家经过筛选研究，分离出一种"NH-10 菌株"，这种菌株能够制成除去乙烯的"NH-T"物质，可防止葡萄贮存中发生的变褐、松散、掉粒等现象，也可对番茄、辣椒起到防止失水、变色和松软的作用，有显著的保鲜效果。

烃类混合物保鲜：此方法采用一种复杂的烃类混合物，在使用时，将其溶于水中成溶液状态，然后将需保鲜的果蔬浸泡在溶液中，这样，果蔬表面就均匀地裹上了一层液剂，大大降低了果蔬对氧的吸收量。该保鲜剂的作用，酷似给水果施了"安眠药"，使其处于休眠状态。

电子技术保鲜：此方法运用高压静电场所产生的负氧离子和臭氧来达到蔬果保鲜的目的。负氧离子可以使果蔬进行代谢的酶钝化，从而降低果蔬的呼吸强度，减少果实催熟剂乙烯的生成。而臭氧既是一种强氧化剂，也是一种良好的消毒剂和杀菌剂，既可消杀果蔬表面的微生物及其分泌的毒素，又能抑制并延缓水果中有机物的水解，从而延长水果的贮藏期。

分子料理的秘密

分子料理，是在烹调过程中观察、认识温度升降与食物烹调时间长短的关系，再加入不同物质，令食物产生各种物理与化学变化，在充分掌握之后再加以解构、重组及运用，做出颠覆传统厨艺与食物外貌的一种烹调方式。

分子料理是食物科学和烹饪艺术的结合。一些厨师致力于在传统料理的基础上，增加食物味道、口感和形态的组合方式，实现烹饪技术科学化、系统化。这类超乎想象的菜品往往令人瞠目结舌，厨师仿佛摇身一变成了魔术师，变出一道道令人惊叹的作品。

图 4-21　正在研究分子料理的厨师

球化技术是分子料理的经典技术之一。比如在料理中常见的"果汁鱼子酱",就是把加入了浓厚橙汁的卵磷脂滴入具有钙盐成分的溶液里凝结而成的,其实它和鱼子酱没有半点关系,只是因为钙和卵磷脂的作用,在果汁外形成一层与鱼子外层类似的薄膜,让果汁有了和鱼子酱相同的外形。

图 4-22　有趣的果汁鱼子酱

科学在身边

　　胶凝化技术是一种非常"朴素"的分子料理技术。例如芒果汁遇见海藻提取物——琼脂，会诞生另一种和果汁口感完全不同的物质。凝胶剂不一定都是化学合成物，我们使用的大量凝胶剂来自大自然，如面粉、玉米淀粉、鸡蛋、吉利丁、琼脂等。在实际应用中，琼脂可以让液体变成球形、块状、甚至条状等固体形态。

　　乳化技术一开始主要是指把水、油混合在一起的过程，典型的运用就是制作蛋黄酱。但随着研究的深入和新一代乳化剂大豆卵磷脂的出现，人们又发现了乳化更多的应用，比如做泡沫。大豆卵磷脂，就是获得泡沫的关键因素。在大豆卵磷脂的帮助下，油脂成分和含水的成分可以溶为一体，产生结构稳定的泡沫。只需在原液中加入适量大豆卵磷脂粉，用搅拌器搅动，各种酱汁和高汤都可以变成色彩缤纷的美丽泡沫。

图 4-23　大豆卵磷脂粉

　　除了上述几种经典技术以外，低温烹饪、液态氮、烟熏技术等也是在当代分子料理中经常用到的技术。

低温慢烤挪威皇帝三文鱼，即将整块三文鱼放在低温环境中煮熟，由于低温烹饪，上桌后的三文鱼看上去依旧像生的一样。因为蛋白质没有完成第三阶段变性，所以外观上没有改变。切开鱼肉后，其中心呈果冻状，这也归功于低温烹饪。你可能认为这是一道"生"鱼料理，但其实它是完完全全的熟鱼料理。

图 4-24　低温慢烤的三文鱼

分子美食并不是高档餐厅的专属，一些我们经常吃到的零食，如棉花糖、跳跳糖、酸奶、芝士、豆腐干等，其实都可以归入广义分子料理的范畴。

棉花糖又是如何制作的呢？首先，将蔗糖放进棉花糖制作机中，由于机器中心温度很高，其加热腔释放出的热量会打破晶体分子结构的排列，从而使晶体变成糖浆，当糖在加热腔中高速旋转时，离心运动将糖浆从小孔中喷射到"大碗的周围"，形成了一丝丝的棉花糖。

图 4-25　制作棉花糖

分子料理帮助大家了解怎么吃,其科学制作料理的方法促进烹饪技术的科学化和多元化,最终让我们能够品尝到美味健康的食物,享受美食带给我们的惊喜。

溯源码——食品的"身份证"

随着 DNA 鉴别技术、酒精测试仪、电子测谎器等技术仪器的发明,侦查机关的工作效率得到了迅速提升,社会上的犯罪率也大大降低。如今,类似的技术在食品安全监管中亦有所应用。食品溯源,就是利用物联网技术收录食品的有关信息,对从生产到销售的各环节进行线性追溯。食品溯源对食品安全的各个环节进行"侦查",保障了消费者权益,维护了市场秩序,并且肩负着建立诚信消费生态圈的使命。

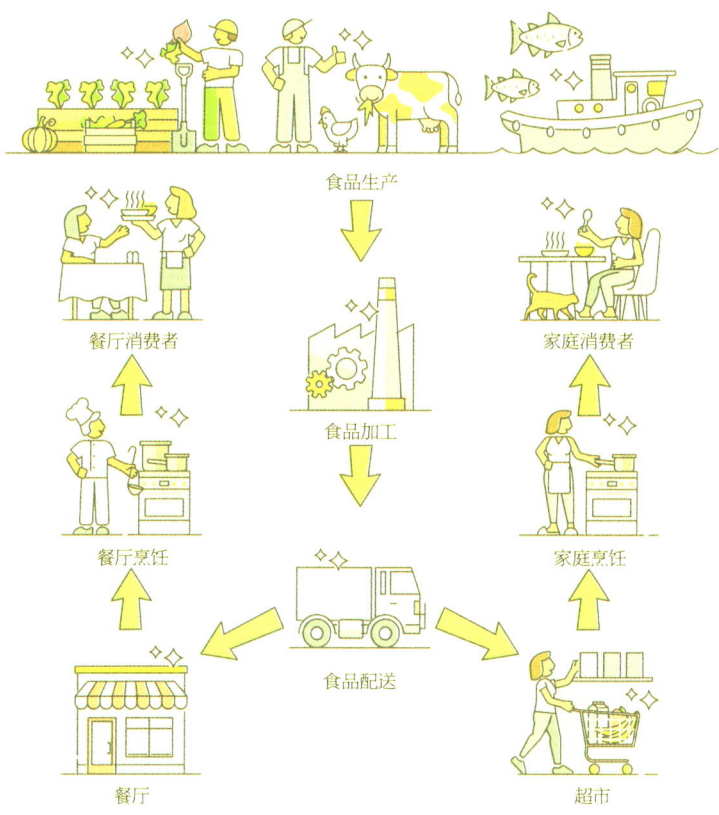

图 4-26 食品溯源可以对食品安全的各个环节进行"侦查",从而保障消费者的权益

食品溯源,顾名思义就是对食品从源头生产到市场终端销售进行全程监控。在溯源过程中,消费者能够掌握食品的生产、配

料、出厂时间、使用期限、质检证明、物流等信息。溯源信息收录越详尽，食品安全性就越高。

要实现这个追溯过程，需要哪些技术做支撑？

如今，随着扫码和编码技术的普及，我们只需对准食品溯源二维码、条形码等扫一扫就能轻松获取食品的所有信息。

食品溯源二维码、溯源条形码是我国工信部强制要求打造的食品安全标准标识。码内包含了食品的原材料、产地、出厂时间、使用期限、物流等细节信息。溯源二维码和条形码是利用当代物联网标识编码技术而合成的，每个标识码都隐藏着食品的域名（类似于网址链接）。

消费者通过扫码便能获得溯源二维码、条形码上的域名，并可在跳转到的记录食品数据信息的页面上查看相关信息。这种编码、解码的过程既是食品溯源的本质，也是物联网标识注册、查询的核心技术。

除了应用于食品之外，在溯源系统里还有应用于图书、日用品等的溯源类别。为了实现第一次溯源编码归类，我国将商品与标识码分门别类，例如图书有 ISBN 码、食品有 CCIC 溯源码等。为了进一步系统化归类，以食品为例，又可细分为奶制品的 Handle 码、进口产品的 Ecode 码、CDI 码等。这样，归类清晰的码类体系就建立完整了。

由于我国实施"一物一码"的规定，我们购买到的食品所对应的溯源码或条形码都是独一无二的。或许你看到过两个样式相同的条码，但在合成技术的作用下，它们的内在架构具有肉眼察觉不到的差异。可以说，条形码、溯源码就是食品的"身份证"。

正如我们的身份证资料连同指纹都要在地方公安局登记存档，食品溯源数据也需要一个平台来储存，作为食品溯源和查询追责的路径，物联网标识平台就是食品"身份证"资料储存的平台。

图4-27　溯源系统与二维码技术的结合，为消费者提供了安全、可靠、方便的一物一码可追溯解决方案

物联网标识平台为企业提供信息储存的数据端口，企业只要将食品溯源信息录入，就可以获得编码标识（即溯源码）。物联网标识平台作为云端处理的中转站，既能保护数据信息安全，又能开放给消费者溯源，实现信息的互联互通。

而伴随着物联网溯源管理在农场中的应用，消费者只需扫码便可掌握蔬果的收割、施肥、松土、除草等信息。物联网的全连接时代即将到来，食品溯源会带给消费者什么？我们拭目以待。

第 5 章

疾病诊治的得力助手

科学在身边

　　说到人们最不愿去又不得不去的地方，其中之一绝对是医院。如今医院诊治疾病的方法越来越多样，总有一些神奇而又神秘的"助手"在帮助医生了解病人病情并进行治疗。去过医院的人都有这样的经验，根据你的自述，医生有时会让你做一些检查，而这些检查往往需要借助一些仪器设备：从量体温的体温表、量血压的血压计和针刺血糖仪等小器具到验血的生化设备，再到CT机、磁共振成像仪等大型仪器。医生借助这些"助手"来监测就诊者的身体状况，从而更准确地发现病灶所在，并及时进行治疗。

　　在赞叹这些神秘"助手"的高超技术时，你是否也想了解它们所包含的科学原理呢？下面，就让我们揭开其中一部分设备的神秘面纱，一窥其科学原理吧！

B超检查的意义何在

在医院做B型超声波（简称B超）检查是最常见的身体检查方式之一，由于B超对受检者无痛苦、无损伤、无放射性等，所以应用非常广泛。那么B超为什么能够对人体的疾病进行诊断呢？那就要从超声的本质说起了。

人耳的听觉范围是有限的，一般能听到的声波频率为20～20000赫兹，而20000赫兹以上的声波，人耳就很难听到了，这种声波称为超声波。超声波必须依靠介质进行传播，无法存在于真空中。如果超声波碰到障碍物，就会产生回声，不同的障碍

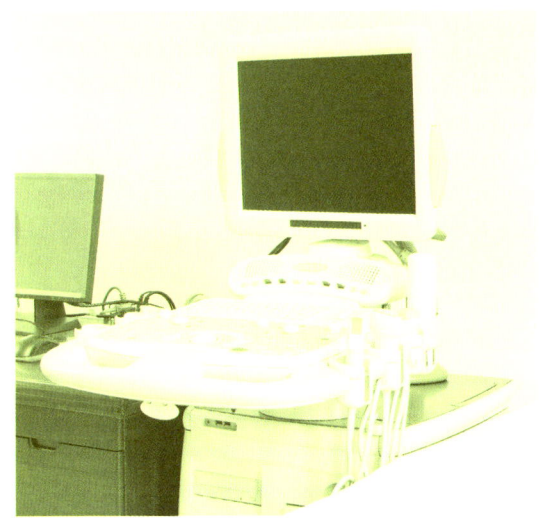

图5-1 B超机

物会产生不同的回声。人们通过仪器将这种回声收集并显示出来,用来了解物体的内部结构。医学超声波检查的工作原理与声呐有一点相似,即将超声波发射到人体内,当它在人体内遇到不同的组织界面时会发生相应的反射及折射,同时超声波在人体组织中因有部分被吸收而衰减。由于人体内各种组织的形态与结构是不同的,其反射、折射以及吸收超声波的程度也就不同。医生正是通过检查仪器所反映出的波形、曲线或影像的特征来辨别它们。此外再结合解剖学知识、正常和病理性改变的对比,便可诊断所检查的器官是否健康。

医学上应用的超声波诊断方法有多种途径,一般可分为A型、B型、D型及M型等。A型是以波形来显示组织特征的方法,主要用于测量器官的径线,以判定其大小。可用来鉴别病变组织的一些物理特性,如实质性、液体或气体是否存在等。B型是用相应切面的图像来显示被探查组织的具体情况,也是应用最广、影响最大的超声波检查。检查时,首先将人体界面的反射信号转变为强弱不同的光点,可供医生随时了解器官与组织的运动状态。这种方法直观性强,重复性强,可供前后对比,被广泛应用于妇科、泌尿、消化及心血管等系统疾病的诊断。D型是专门用来检测血液流动和器官活动的一种超声诊断方法,又称为多普勒超声诊断法。这种超声诊断法可探查血管是否通畅,管腔是否狭窄、闭塞以及病变部位。新一代的D型超声波还能定量地测定管腔内血液的流量。近几年来科学家又发明了彩色编码多普勒系统:可在超声心动图解剖标志的指示下,以不同颜色显示血流的方向,血液色泽的深浅代表血流流速的快慢。另外,还有立体超声显像、

第5章
疾病诊治的得力助手

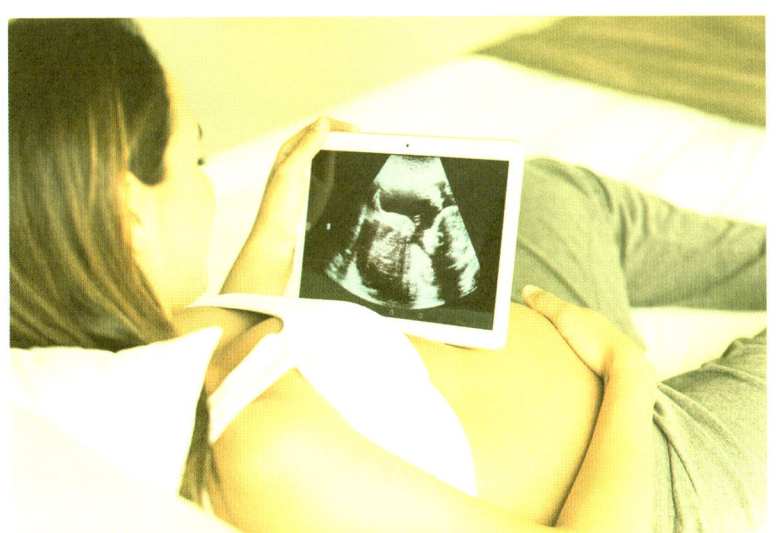

图 5-2　孕妇可以通过 B 超更直观地了解胎儿的情况

超声 CT、超声内窥镜等超声技术不断涌现出来，它们可以与其他检查仪器相结合使用，使疾病的诊断准确率大大提高。超声技术正在医学界发挥着巨大的作用，随着科学的进步，它将更加完善，从而更好地造福于人类。M 型是用于观察活动界面时间变化的一种方法，适用于检查心脏的活动情况，其曲线的动态改变也称为超声心动图。这种超声心动图可以用来观察心脏各层结构的位置、活动状态、状况等，多用于辅助心脏及大血管疾病的诊断。

CT 检查的目的何在

我们平时经常听到 CT 检查，其实它的全称为"Computed Tomography"，意思是电子计算机断层扫描。

临床上最常见的是用 X 射线对人体某些部位一定厚度的层面进行扫描，由探测器接收透过该层面的 X 射线，转变为可见光后，由光电转换变为电信号，再经模拟/数字转换器转为数字，输入计算机进行处理。这种处理犹如将选定层面分成若干个体积相同的长方体，称为体素。扫描所得信息经计算而获得每个体素的 X 射线衰减系数或吸收系数，再排列成矩阵，即数字矩阵，数字矩阵可存贮于磁盘或光盘中。经模拟/数字转换器把数字矩阵中的每个数字转为由黑到白不等灰度的小方块，即像素，并按矩阵排列，即构成 CT 图像。所以，CT 图像是重建图像，每个体素的 X 射线吸收系数可以通过不同的数学方法算出。简单地说，CT 的工作程序是这样的：它根据人体不同组织对 X 射线的吸收与透过率的不同，应用灵敏度极高的仪器对人体进行测量，然后将测量所获取的数据输入电子计算机，电子计算机对数据进行处理后，就可摄下人体被检查部位的断面或立体的图像，发现体内的细小病变。

CT 的扫描方式分为平扫、造影增强扫描和造影扫描三种。平扫是指不用造影增强或造影的普通扫描，是 CT 最基本的检查方式，一般 CT 检查时都是先作平扫。造影增强扫描就是用高压注射

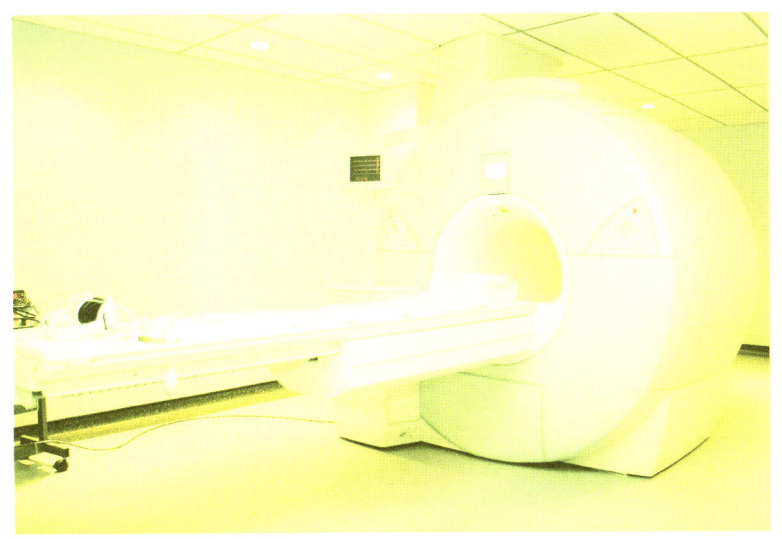

图 5-3 CT 机

器经静脉注入水溶性有机碘剂，如 60%～76% 泛影葡胺 60 毫升后再行扫描的方法。血内碘浓度增高后，器官与病变内碘的浓度可产生差别，形成密度差，可以使病变显影更为清楚。造影扫描则是先作器官或结构的造影，然后再行扫描的方法。例如向脑池内注入碘曲仑 8～10 毫升或注入空气 4～6 毫升进行脑池造影再行扫描，称为脑池造影 CT 扫描，可清楚地显示脑池及其中的小肿瘤。

　　从 1972 年第一台 CT 机诞生至今，目前已发展到第五代。第五代 CT 机已将扫描时间缩短到 50 毫秒，图像质量也更高，尤其是对搏动的心脏进行的成像，为心脏疾病的诊断提供了更直观、准确的检查方式。

CT检查由于其特殊的诊断价值，已广泛应用于临床，如中枢神经系统疾病、头颈部疾病、胸部疾病，以及腹盆部疾病的诊断，但CT检查也有缺点：由于其辐射剂量较普通X线机大，故怀孕妇女不宜做CT检查；CT设备比较昂贵，检查费用偏高，对某些部位的检查仍有限，我们应在了解其优势的基础上，合理地选择应用。

X射线检查的原理

即使你平时很少去医院，你也一定听说过X射线检查，这是医学临床上最早而且目前仍然在广泛使用的检查仪器，它是一种利用X射线性质制造的医疗检查设备。X射线是一种波长极短、能量很大的电磁波，它的波长比可见光的波长更短（0.001～100纳米，医学上应用的X射线波长为0.001～0.1纳米），它的光子能量比可见光的光子能量大几万至几十万倍。

X射线具有物理效应、化学效应和生物效应等多种效应。

X射线的物理效应具体表现为三个方面：首先，它具有在通过物质时不被吸收的穿透能力。因其波长短，能量大，照在物质上时，仅有一小部分被物质所吸收，大部分经由原子间隙透过，表现出很强的穿透能力，而这种穿透力与物质密度有关，密度大者，吸收多，透过少；密度小者，吸收少，透过多。其次，X射线具有电离作用。物质受其照射时，使核外电子脱离原子轨道，这种作用叫作电离作用。电离作用可以诱发有机体内各种生物效应，它是X射线损伤和治疗的基础。最后，X射线还有荧光作用。由于其照射到某些化合物如磷、铂氰化钡、硫化锌镉、钨酸钙时，可以辐射出可见光或紫外线，这就是荧光。X射线使物质发生荧光的作用叫荧光作用，荧光强弱与X射线量成正比，这种作用是X射线应用于透视的基础。

X射线的化学效应是它具有感光作用，能使胶片感光。当X射线照射到胶片上的溴化银时，能使银粒子沉淀而使胶片产生"感

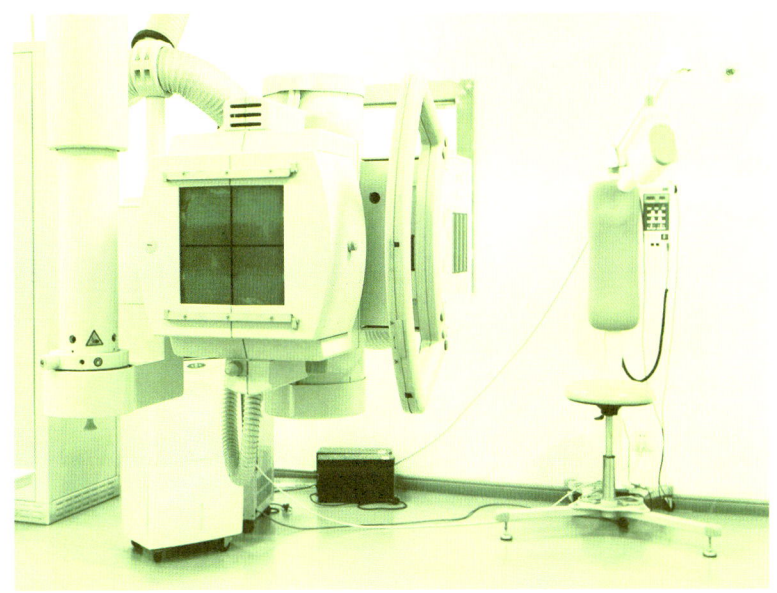

图5-4　X射线机

光作用"。胶片感光的强弱与X射线量成正比,当X射线通过人体时,因人体各组织的密度不同,对X射线量的吸收也不同,胶片上所获得的感光度不同,从而获得X射线的影像。这也是应用X射线作摄片检查的基础。

X射线的生物效应即当X射线照射到生物机体时,会使生物细胞受到抑制、破坏甚至坏死,致使机体发生不同程度的生理、病理和生化等方面的改变。不同的生物细胞对X射线的敏感度也不同,在医学上,X射线技术已成为对疾病进行诊断和治疗的专门学科。

X射线应用于医学诊断主要是依据X射线的穿透作用、差别吸收、感光作用和荧光作用。由于X射线穿过人体时,得到不同程度的吸收,如骨骼吸收的X射线量比肌肉吸收的量要多,那么通过人体各部分后的X射线量就不一样了,它携带了人体各部密度分布的信息,在荧光屏或摄影胶片上产生的荧光作用或感光作

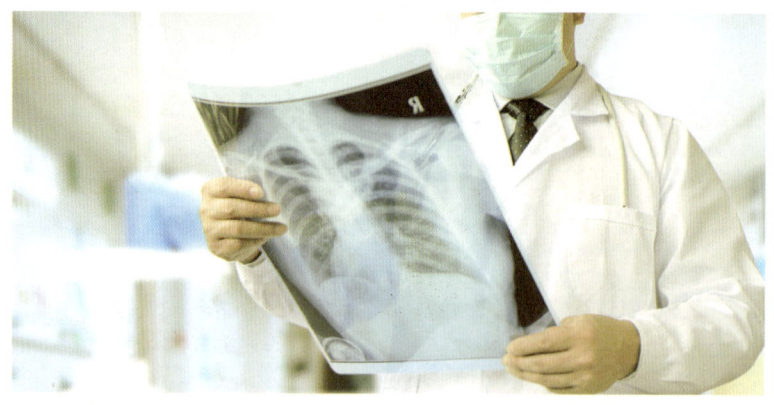

图5-5 人体肺部X光片

用的强弱就有较大差别，因而在荧光屏或摄影胶片上（经过显影、定影）将显示出不同密度的阴影。根据阴影浓淡的对比，结合临床表现、化验结果和病理诊断，即可判断受检者身体的特定部位是否正常。X射线诊断技术是世界上最早应用的非创伤性的内脏检查技术。

X射线应用于医学治疗主要是依据其生物效应，应用不同能量的X射线对人体病灶部分的细胞组织进行照射时，即可破坏或抑制被照射的细胞组织生长，从而达到对某些疾病，特别是肿瘤的治疗目的。

链接

X射线的防护措施

在利用X射线进行诊断和治疗的同时，人们发现其可能导致病人脱发、皮肤烧伤，还可能使操作人员出现视力障碍、患上白血病。为防止X射线对人体的伤害，使用它的同时必须采取相应的防护措施。增加人体与X射线源的距离，是最简易有效的防护措施之一。

达芬奇手术机器人

有学者从应用环境出发将机器人分为工业机器人、服务与仿人型机器人两类。达芬奇手术机器人属于服务与仿人型机器人，是一种医疗机器人。达芬奇手术机器人可以在医师的操作下进行人体内的许多复杂手术，是医疗事业上的一个大飞跃。

达芬奇手术机器人是一种高级的机器人平台，由三部分组成：外科医生控制台、床旁机械臂系统、成像系统。其设计理念是通过微创实施复杂的外科手术。目前达芬奇手术机器人已应用于普通外科、胸外科、泌尿外科、妇产科、头颈外科以及心血管外科的手术。

达芬奇手术机器人由三部分组成。一、医师控制台。主刀医生坐在控制台中，位于手术室无菌区之外，使用双手（通过操作两个主控制器）及脚（通过脚踏板）来控制器械和一个三维高清内窥镜。正如在立体目镜中看到的那样，手术器械尖端与外科医生的双手同步运动。二、床旁机械臂系统。床旁机械臂系统是外科手术机器人的操作部件，其主要功能是为器械臂和摄像臂提供支撑。助理医生在无菌区内的床旁机械臂系统边工作，负责更换器械和内窥镜，协助主刀医生完成手术。三、成像系统。成像系统内装有外科手术机器人的核心处理器以及图像处理设备，在手术过程中位于无菌区外，可由巡回护士操作，并可放置各类手术辅助设备。外科手术机器人的内窥镜为高分辨率三维镜头，对手

图 5-6　达芬奇手术机器人的机械臂

术视野具有 10 倍以上的放大倍数，能为主刀医生显示患者体腔内三维立体高清影像，使主刀医生较普通腹腔镜手术更能把握操作距离，更能辨认解剖结构，从而提升了手术精确度。

　　达芬奇手术机器人是人工智能辅助精准医疗的标杆作品。它的操作器械可以像人的手腕一样灵活转动，可以在狭小的空间进行精细操作；在更高的安全意义上，它成为外科医生眼和手的延伸，它使医生的手术视野更加清晰，三维视觉更立体，操作更灵活；此外，达芬奇手术机器人进行的微创手术操作更精准，更能减轻患者痛苦，有助于患者术后快速康复。

　　随着人工智能、大数据、智能传感等技术的快速发展与深度应用，加上政策的支持，我国医疗机器人产业即将进入跨越式发展阶段。

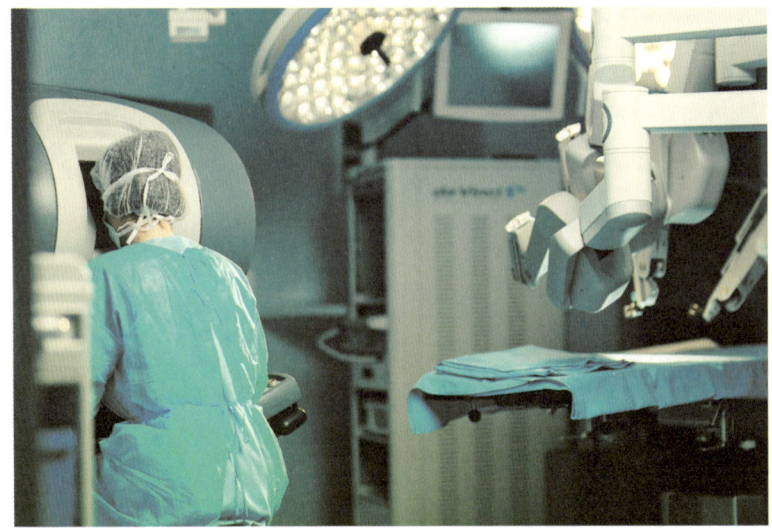

图 5-7　医生在控制台前操控医疗机器人

磁共振为什么能够诊断疾病

相比于 CT，磁共振在人们看来稍显陌生。那么，何谓磁共振？它为什么能够帮助医生对病患疾病进行检查、鉴别和诊断呢？

磁共振是一种物理现象，作为一种分析手段广泛应用于物理、化学、生物等领域,到 20 世纪 70 年代被应用于医学临床检测。为了避免与核医学中的放射成像概念混淆,医学上把它称为磁共振成像。这是一种生物磁自旋成像技术,利用原子核自旋运动的特点,在外加磁场内,经射频脉冲激发后产生信号,用探测器检测并输入计算机,经过处理转换,在显示器上显示图像。

磁共振成像是一种利用核磁共振原理的医学影像诊断新技术,以极快的速度得到发展。其基本原理是将人体置于特殊的磁场中,用无线电射频脉冲激发人体内氢原子核,引起氢原子核共振并吸收能量,在停止射频脉冲后,氢原子核按特定频率发出射电信号,并将吸收的能量释放出来,被体外的接收器收录,经电子计算机处理获得图像。这种技术提供的信息量不但大于医学影像学中的其他许多成像技术,而且不同于已有的成像技术。因此,磁共振

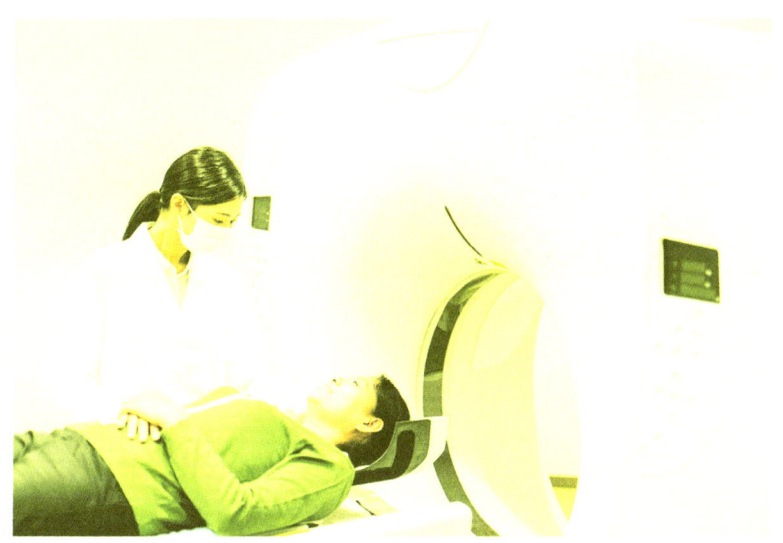

图 5-8　就诊者在进行磁共振检查

成像对疾病的诊断具有很大的潜在优越性，它可以直接作出横断位、矢状面、冠状面和各种斜面的体层图像，不会像CT检查出现伪影；不需注射造影剂，无电离辐射，对机体不会造成不良影响。

与其他辅助检查手段相比，磁共振具有成像参数多、扫描速度快、组织分辨率高和图像更清晰等优点，可帮助医生"看见"不易察觉的早期病变。目前已经成为肿瘤、心脏病及脑血管疾病早期筛查的利器，是继CT后医学影像学的又一重大进步。

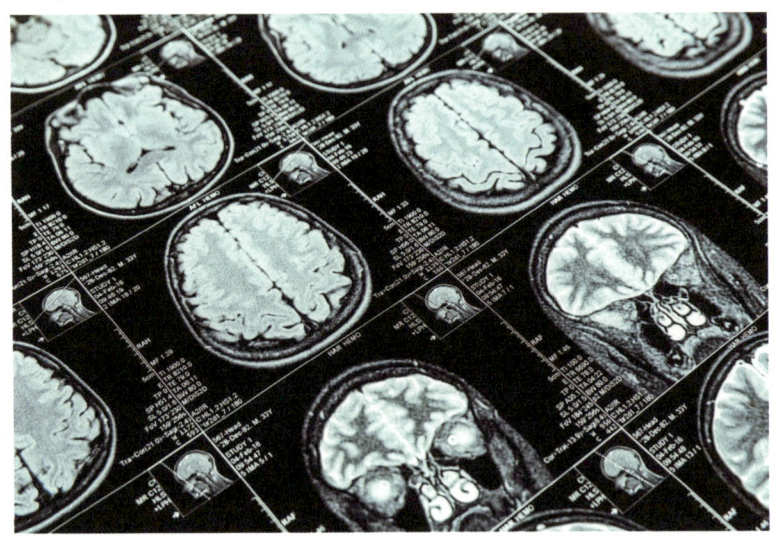

图 5-9　磁共振成像

尽管磁共振成像有许多优点，但它在氢质子缺乏或含量很少的组织内，如致密的骨骼，钙化、含气的肺部等，皆无法成像。此外，危重病人、体内有金属假体的人、幽闭恐惧症患者等也不宜进行磁共振检查。

体温计为什么可以测量人的体温

大部分家庭都会备有体温计，以便监测家人的体温情况。何谓体温呢？体温是指人体内部的温度。一定的温度是人体进行新陈代谢和正常生命活动的必要条件。正常人在健康的情况下都具有比较恒定的体温，一般维持在35℃～37℃。当然体温在24小时内略有波动，一般相差不超过1℃，生理状态下，早晨略低，下午略高；运动、进食后等一些情况下体温稍高。体温高于正常体温的最高限度时称为发热：37.3℃～38℃为低热，38℃～39℃为中度发热，39℃～40℃为高热，40℃以上为超高热。

体温计为什么能测量出人体温度的高低呢？那就要从体温计的设计原理上来说了。根据不同的设计原理，目前市面上的体温计大致可分为三大类：水银体温计、电子体温计、非接触式电子体温计（红外线电子体温计）。

水银体温计已经有300多年的历史。此种体温计可再细分为口温表、肛温表及腋温表。在所有的体温计中，这类体温计所测量出来的人体温度是最准确的。但由于是玻璃制品，这种体温计容易打碎，其内部所含的重金属——汞，对人体会产生一定的安全隐患，也会污染环境。这类体温计里的水银成分，是体温计里的工作物质。玻璃泡里的水银容积比细管的水银容积量大，随着人体温度的变化，泡里的水银会产生微小的变化，当体积膨胀后，管内水银的长度会增加，体温计的刻度也是根据人体温度的变化制定的。体温计下面有个狭窄的曲颈，测量体温时，受热胀冷缩的影响，水银会从体温计颈部的位置上升到管内某个位置，当达到体温时，水银柱会固定在那个位置。当取出体温计后，由于外界的气温比较低，水银又会遇冷收缩体积，并在曲颈的位置分成两段，这时会使已经到达管内的水银仍显示接触人体时所测得的温度，也就是人体内部的温度，这就是玻璃水银体温计测量人体体温的原理。

第二类是电子体温计，这是近年来逐渐被广泛使用的体温计，是一种直接显示数字的体温计，弥补了水银体温计不易读数的不足。电子体温计不含汞，比较安全，但其不足之处在于示值准确度受电子元件及电池供电状况等因素的影响，准确性不如水银体温计高。

第三类是非接触式电子体温计（红外线电子体温计）。这种体

图 5-10　生活中常见的三类体温计

温计主要是通过被动接收人体辐射的红外能量并通过仪器的测算与分析得出人体体温,一般测量时间为一两秒,快速方便,但需要在稳定的环境下才能进行测量。相比水银体温计和电子体温计,它的优势在于:测量速度快;不存在交叉感染;机身无汞,对人体比较安全。在公共场所远距离测量体温大多使用这种体温计。

血糖检测仪是怎么工作的

人体内的血液是由许多成分组成的,而其中一种成分就是葡萄糖,也被称为血糖,它为体内各组织细胞活动提供大部分能量。血糖必须保持一定的水平才能满足人体所需,血糖过高或过低都会损伤机体结构:血糖含量过低,会引起头昏、心慌、四肢无力等现象,严重时甚至会导致死亡;血糖含量过高,会导致葡萄糖从肾脏排出,形成糖尿,造成体内营养物质流失以及感染等并发症的发生。血糖的高低更是临床上诊断糖尿病的一个重要指标,因此,了解血糖正常值并进行实时监测,对于发现糖尿病的潜在危险、诊断糖尿病、检测糖尿病的治疗效果都有着重要的意义。

目前的家用血糖仪根据测量血糖的原理主要分为光反射法和电化学法两大类。光反射法是通过目视检查反应过程中试纸的颜色变化来反映血糖值的,通过酶与葡萄糖的反应产生的中间物(带颜色物质），运用检测器检测试纸反射面的反射光的强度，并将这些反射光强度转化成葡萄糖浓度。光反射法的优势是比较成熟、稳定，但这种方法在强光环境下（如夏天室外）操作会产生误差；另外高脂血症和高胆红素血症病人用这种类型的血糖仪进行测试时，误差也会加大。电化学法采用检测反应过程中产生电流信号的原理来反映血糖值，通过电流记数设施，读取酶与葡萄糖反应产生的电子数量，再转化为葡萄糖浓度读数。电化学法不会受到用光反射法检测时两种因素的干扰，但微波炉、手机等的电磁辐射则会影响仪器的准确性。

科学家还研制出了一些特殊类型的血糖检测仪。如角膜镜血糖仪将感受器放置在角膜镜中，患者可通过照镜子来观察角膜镜和图表上感光材料的颜色，从而确定血糖水平。泪糖血糖仪根据

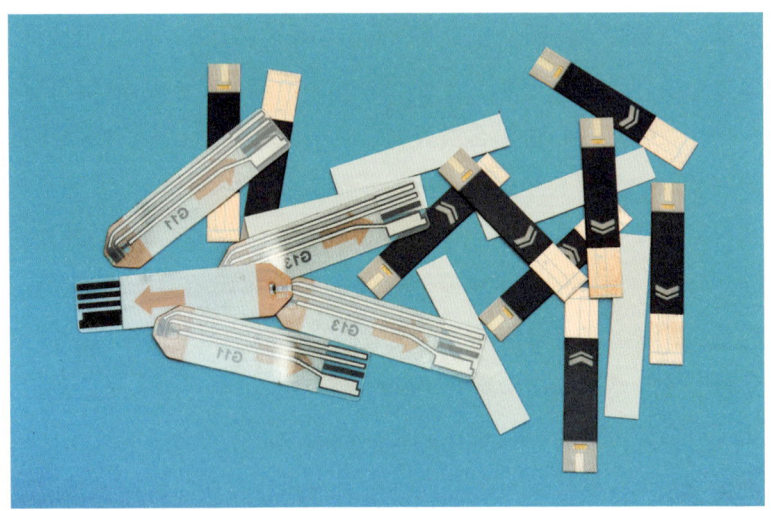

图 5-11　血糖试纸

眼泪中的糖分与血浆中的糖含量非常接近的原理，监测泪糖的变化。手表血糖仪可以像手表一样戴在手腕上，当人体血糖低于85毫克/分升时就会发出警报声，因此可以安全、有效地发现患者的夜间低血糖。臂膀植入血糖仪由植入皮下的感应器和外部测量仪两部分组成，感应器的直径约6毫米，厚度如同普通纸张一般，不需要电源驱动，当患者在测量仪前挥动植入感应器的臂膀时，测量仪就能借助脉冲的方式测量出患者的血糖值。

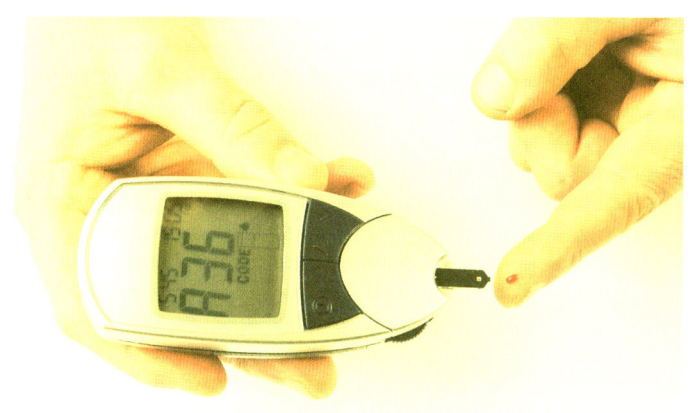

图5-12 血糖检测仪

随着科技的进步，集成血糖仪将会成为监测血糖的新仪器。这种仪器由胰岛素泵和血糖仪连接组成，是完全自动化的血糖监测和胰岛素输注系统。集成血糖仪会不间断地测定血糖，并自动输注适量的胰岛素，使血糖维持正常水平。这为糖尿病人带来了福音。

血压计为什么能测出人的血压

血压是指血液在血管内流动时作用于单位面积血管壁的侧压力，它是推动血液在血管内流动的动力。血压在多种因素调节下可以保持在正常范围值内，从而提供各组织器官足够的血量以维持正常的新陈代谢。血压有极其重要的生物学意义，血压过高或过低都会影响对各组织器官的血液供应和心脏的负担。

测量血压有直接测量法和间接测量法两种。直接测量法是将仪器插入血管内部所得到的数值，这样测得的血压最准确，但由于直接测量法会产生创伤，所以一般情况下不采用，绝大多数测量人体血压的时候都使用间接测量法。血压间接测量法又分为听诊法和示波法，听诊法通常使用水银柱血压计，其结构包括能充气的袖袋和与之相连的测压计，测量时，将袖袋绑在受试者的上臂，然后打气到阻断肱动脉血流为止，缓缓放出袖袋内的空气，利用放在肱动脉上的听诊器可以听到当袖袋压刚小于肱动脉血血流冲过被压扁动脉时，产生的湍流引起的振动声（科罗特科夫氏声，简称科氏声）来测定心脏收缩期的最高压力，叫作收缩压。继续放气，科氏声加大，当此声变得低沉而长时所测得的血压读数，相当于心脏舒张时的最低血压，叫作舒张压。但使用听诊法易受医生的情绪、听力、环境噪声、被测者的情绪等一系列因素的影响，易引入主观误差，难以标准化。因此，目前绝大多数血压监测仪和自动电子血压计都采用了示波法来间接测量血压。

示波法测血压是通过建立收缩压、舒张压、平均压与袖套压力震荡波的关系来判定血压的。因为脉压震荡波与血压有较为稳定的相关性,利用示波原理测量的血压结果比听诊法更为准确。而且示波法测血压时袖套内无拾音器件,操作简单,抗外界噪声干扰能力强,还可同时测得平均压。

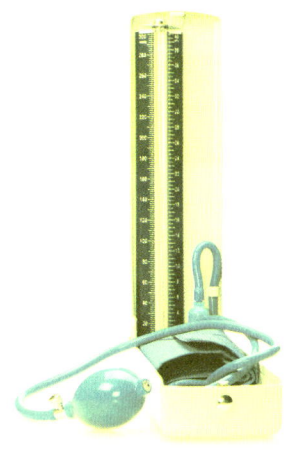

图 5-13 水银血压计

但必须指出,从测量原理上来说,两种间接测量法不存在哪一个更准确的问题。水银血压计是通过人来听脉搏的跳动,用眼睛观察水银的刻度,加上水银血压计的最小刻度规格不一,有的甚至是以 5 毫米汞柱为最小单位,因此最终的读数不是特别精准,这是由这种血压计的特性决定的。而电子血压计采用传感器采集脉搏信号,测量高压、低压值,灵敏度高,且其工作时不受外界因素干扰,由平均压通过比值法或拐点法估算出舒张压和收缩压。

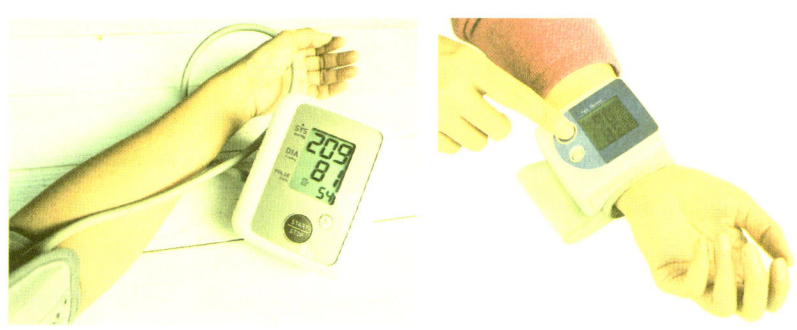

图 5-14 手臂式电子血压计和手腕式电子血压计

科学在身边

医学内窥镜检查设备有什么作用

内窥镜顾名思义就是可以看见内部结构的镜子。医学内窥镜则是集传统光学、人体工程学、精密机械、现代电子、数学、计算软件等于一体的检测仪器。它能够经人体的天然孔道或手术的小切口进入人体内，直接窥视有关部位的情况，是医生的得力助手。医用内窥镜按其构造可分为三大类：硬管式内镜、软管式（光学纤维）内镜和电子内镜。按应用方式可分为无创伤性和有创伤性两种，前者指直接插入内窥镜，用来检查与外界相通的腔道（如消化道、呼吸道、泌尿道等）疾病；后者是通过切口送入内窥镜，用来检查密闭的体腔（如胸腔、腹腔、关节腔等）情况。此外，医用内窥镜按用途又可分为消化道窥镜、泌尿生殖道窥镜、呼吸道窥镜、体腔窥镜和头部器官窥镜等类型。

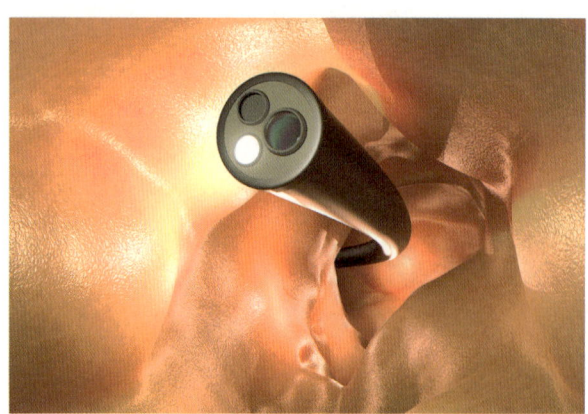

图 5-15　工作中的内窥镜

医用内窥镜主要被用于外科手术和常规医疗检查中，如胃肠道疾病，胰腺、胆道疾病，呼吸道疾病等。与传统的外科手术相比，医用内窥镜的功能性微创手术技术已得到医生和患者的普遍接受，医生只要将内窥镜镜头探入人体内，通过摄像显示系统和其他手术器械就能进行手术操作。

如今，多功能的电子内窥镜已经问世，它不但能获得组织器官形态学的诊断信息，而且还能对组织器官的各种生理机能进行测定。医用内窥镜技术已经显示出它强大的生命力，相信未来它将作出更巨大的贡献。

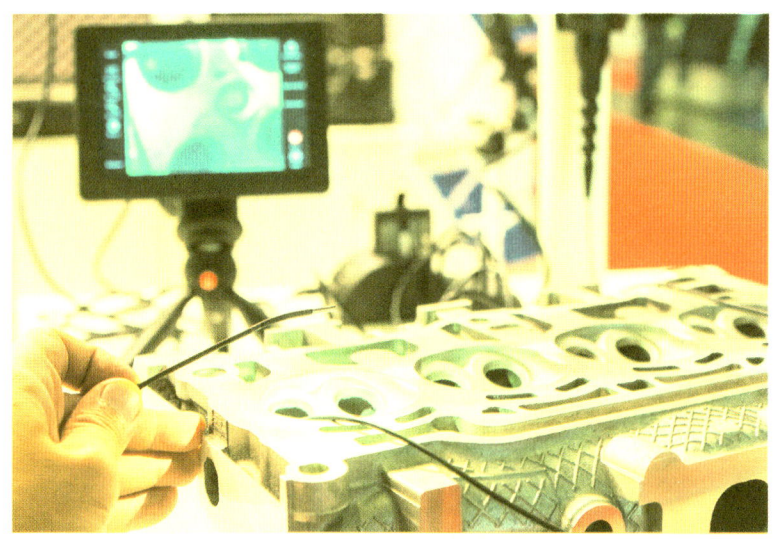

图 5-16　医生运用内窥镜进行医疗检查

第6章

享受健康的绿色生活

科学在身边

　　人们向往健康的绿色生活，以此来接近自然、融入自然。然而在这种接近和融入中，我们会发现种植粮食、繁殖果木、培植花草等需要使用不少工具和设备，如传统农业中耕地的犁、翻地的耙、灌溉用的筒车，以及锄头、镰刀等，这些工具在明朝宋应星所作的《天工开物》一书中就已经出现，它们都是依据一定的原理而制造的，用来帮助人们进行农耕活动，从而使我们的生活更轻松、更环保。

# 一切从种子开始

不论是一棵小小的豆芽，还是一棵参天大树，都是从一粒小小的种子开始萌发的。不要小看这些种子，我们吃的一粒粒米饭就是从小种子长成的。说起吃饭，我们每天享用的食物原料，都是从农民的辛苦耕作、播种开始的。

在早期社会，农民要靠自己的双手将一粒粒种子种到田里，不仅如此，为了能让植物茁壮成长，在播种后，农民需要挑选比较好的植株移栽到田间，同时控制植株的行间距，让植物有足够的光照空间和成长空间。人工耕作工作效率低下，因此播种机和插秧机就应运而生了。

1636年，第一台播种机在希腊问世。1830年，俄国在畜力多铧犁的基础上加装播种装置，制成了畜力犁播机。中国则是在20世纪50年代从国外引进了播种机，从而有了研制播种机的机会。到了20世纪60年代，中国成功研制出了多种播种机机型，例如悬挂式谷物播种机、离心式撒播机、通用机架播种机、气吸式播种机等。

按照播种方式的不同，播种机可分为以下几种类型。

撒播型：常用的机型为离心式撒播机。撒播机由种子箱和撒播轮构成，可以安装在农用运输车后部。播种时，种子做离心运动被撒播轮播出，播幅可达8～12米。除了播种外，这种离心式撒播机也可以撒播粉状或颗粒状的肥料。撒播机虽然撒播的范围

图6-1　播种机

较大，但在撒播的过程中，无法控制撒播出的种子间距，会造成有些区域种子比较密集，而有些区域则比较稀疏的情况。

条播型：这种播种方式主要针对谷物、蔬菜等种子较小的作物。在条播型播种机行进的过程中，行走轮带动排种轮旋转，种子就会按照要求的播种量被排入输种管，并经开沟器落入开好的种穴里，最后再覆上土层将种子覆盖压实。条播型播种机的优点在于播种的间距几乎一致，且出苗后的作物可以形成平行等距的条行。

穴播型：穴播型播种机采用的是一种更精细的播种方式。穴播机可以将种子播排在平行的条行种沟中。穴播机主要应用于玉米、棉花、大豆等作物的耕作中。穴播型播种机在准确性上更胜一筹，不仅可以做到单穴播种，还可以做到单穴单粒精播。经穴播机播种的植株，可以免除间苗的步骤。

联合型：联合型播种机的播种能力就更强了。所谓联合就是在播种机上辅助加设肥箱、排肥器和输肥管，这样就可以做到一边播种一边施肥。有的联合型播种机甚至能一次完成土壤播前耕作、施种肥、土壤消毒、开排水沟、播种、施杀虫剂和除莠剂等作业。

请你思考一下，这些不同类型的播种机都采用了哪些技术原理呢？

发芽之后需要光照

小小的种子种下去，会慢慢发芽。但要想长成一株成熟的植株还需要很多条件，阳光就是其中之一，就像俗话说的那样，万物生长靠太阳。但是如果没了太阳，植物是不是就不能生长了呢？答案当然是否定的。

人们尝试过在只有灯光照明的房间里种植植物，但发现这些植物总是长不好，尤其是草本科的植物，茎会长得很长，很容易发生倒伏，无法茁壮成长。这是为什么呢？其实奥秘就藏在阳光中。

太阳的光谱波段范围很广，不同光谱波段的光对植物的生长影响不尽相同。蓝紫光抑制植物体内某些激素形成的同时，却有助于幼芽的形成和细胞的分化。蓝紫光还可以促进花青素的合成，所以在高海拔地区，花朵由于多受蓝紫光的照射而具有鲜艳亮丽的色彩。除此之外，其他波段的光也具有很大作用，红光可以促进叶绿素的形成，促进二氧化碳的分解与碳水化合物的合成；蓝光则有助于有机酸和蛋白质的合成；而绿光和黄光则大多被叶子所反射或透过，很少被利用。

图 6-2　生长在高海拔地区的花朵

破解了阳光里的秘密，用灯光来取代阳光就可以实现了。科学家发现小麦在红色 LED 灯光照射下可以完成整个生长周期，而在红光和蓝光的混合照射下，小麦能够长得更茁壮，收获更多的种子。随着科学家对于光照和植物生长间微妙关系研究的不断深入，阳光对植物的影响不仅可以被取代，人们甚至还能通过不同波段的光谱搭配，来优化植物的生长。

光照还可以改变植物的其他方面，例如花期。有些植物对于光照时间的长短比较敏感，比如长日照植物，只有在光照时间充足时才能促使花芽分化。因此在日照时间不充足的情况下想让这类植物开花，就要靠灯光来补充光照时间了。

给植物补充光照的装备叫作光照培养箱。在这些方正的盒子里，可以根据需要，装配不同光谱波段的灯光来培养植株，造就其更好的品质。这听起来似乎很神奇，但其实光照培养箱的原理很简单，就像是在一个缩小版的房间里配备了一个温度调整设备，从而将"房间"里的温度控制在适合植物生长的区间。同时，"房间"里还配备了一个"加湿器"，使房间的湿度处于适宜植株生长的水平。

图6-3 植物光照培养箱

吸收水分才能长大

水是生命之源,植物生长不仅需要光照,还需要水分。传统的灌溉技术较浪费水,而水资源却因为污染或气候的原因变得越来越珍贵。该如何应对这种困境?我们只能放弃传统粗放型的漫灌,开发新的灌溉技术。

管道输水:管道输水其实很简单,就是利用管道将水直接输送到田间灌溉,这样可以减少水在输送过程中的渗漏和蒸发。虽然可以减少水在输送过程中的浪费,但管道输水还是一种比较粗放的灌溉技术,在灌溉过程中还是会存在大量的浪费。

喷灌:喷灌是由管道将水输送到位于田地中的喷头中,再由

图6-4 喷灌是一种适用范围较广的节水灌溉技术

喷头喷出的灌溉方式。在喷出的过程中，水会被这些喷头分散成细小水滴，均匀地喷洒到田间，就像在下小雨一样。这种灌溉方式改变了那种大量水在田间奔流的景象，喷灌的水比较均匀，土壤不会发生板结，同时在改善田间小气候和农业生态环境方面也起到了一定的作用。

微喷：微喷是一种从喷灌发展而来的灌溉方式。它利用塑料管道输水，然后用微喷头进行喷洒。微喷的工作压力低，水流量小，比一般的喷灌更省水，并且可以增产30%以上。微喷还可以结合施用化肥，提高肥效。

滴灌：滴灌是利用塑料管道将水通过直径约10毫米毛管上的孔口或滴头，送到作物根部进行局部灌溉的技术。滴灌将水一滴

图6-5　滴灌是目前在干旱缺水地区使用的最有效的一种节水灌溉技术

一滴均匀而又缓慢地滴入植物根系附近的土壤中，因此滴水流量小，水滴入土缓慢，可以最大限度地减少水分的蒸发和损失。它是目前在干旱缺水地区使用的最有效的一种节水灌溉技术，其对水的利用率可达95%。滴灌较喷灌具有更好的节水增产效果，同时可以结合施肥，提高肥效一倍以上。但是滴灌也有不足之处，那就是滴头容易引起结垢和堵塞。

覆膜灌：覆膜灌分为膜上灌和膜下灌。用地膜覆盖在田间的垄沟底部，引入的灌溉水从地膜上面流过，并通过膜上小孔渗入作物根部附近的土壤中进行灌溉，这种方法称作膜上灌，在新疆等地已大面积推广。采用膜上灌，能够使灌溉水深层渗漏，并且蒸发损失少，节水效果显著。在地膜栽培的基础上不需再增加材料费用，就能起到对土壤增温和保墒作用。在干旱地区可将滴灌管放在膜下，并利用毛管通过膜上小孔进行灌溉，这种方法称作膜下灌。这种灌溉方式既具有滴灌的优点，又具有地膜覆盖的优点，节水增产效果更好。

痕灌：痕灌是受化学上微量元素与痕量元素的概念启发而取的名称，主要指能在超微流量的情况下向作物长久供水的灌溉方式。痕灌单位时间的出水量为滴灌的百分之一到千分之一。痕灌技术的核心节水部件是痕灌控水头，它由具有良好导水性能的毛细管束和具有过滤功能的痕灌膜组成，控水头埋在作物根系附近，毛细管束一端与充满水的管道相连，另一端与土壤的毛细管相连，感知土壤水势的变化。作物吸水导致根系周围的水势降低，即发出需水信号，控水头内的水不断以毛细管水的形式流向根系周围，直至作物停止吸水；控水头内的痕灌膜可防止毛细管束因杂质而堵塞，保证系统长期稳定工作。

科技造就了各种新型的灌溉方式，增强了人类改善恶劣环境的信心。

植物生长的小秘密

也许大家都遇到过这样的情况，新买的还没熟的猕猴桃很硬，但放一根香蕉在旁边，猕猴桃很快就会变软了。这是为什么呢？

其实这一切都是神奇的植物激素在起作用。已知在植物体内产生的激素有六大类：生长素、赤霉素、细胞分裂素、脱落酸、乙烯和油菜素甾醇。其中，乙烯就具有促进果实成熟的作用，而成熟的香蕉会释放乙烯。

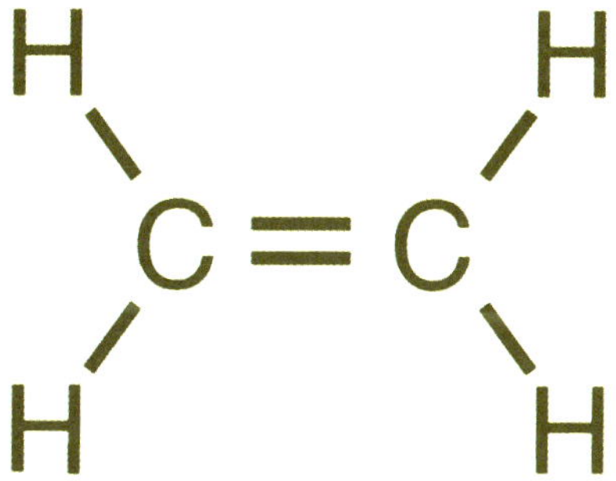

图 6-6 乙烯结构式

其他几种激素也各自具有不同的作用。生长素的作用表现具有两重性，即低浓度促进生长，高浓度抑制生长；赤霉素具有促进植物茎的伸长，解除种子、块茎的休眠并促进发芽的作用；细胞分裂素具有促进细胞分裂，诱导芽的分化，防止植物衰老的作用；脱落酸具有抑制植物细胞分裂，促进叶和果实的衰老、脱落，抑制种子萌发的作用；油菜素甾醇具有促进细胞伸长和分裂、促进维管分化、促进种子萌发等作用。在植物生长的过程中利用好这些激素，可以让它们更好地生长。

链接

植物生长调节剂

六大植物激素从不同方面影响着植物的生长发育。科学家据此继续进行研究，在这些激素的基础上又开发了多种与植物激素结构类似的化学合成物质。它们具有与植物激素相似的作用，我们称其为植物生长调节剂。

这些生长调节剂品种丰富，对六大植物激素形成补充，从而影响和调控植物的生长和发育。比如薯芋类收获后，在贮藏期间一旦过了真休眠阶段，就容易发芽，由此会降低其食用价值和商品价值，这时候就要植物生长调节剂发挥作用了，一些生长调节剂具有抑制薯类发芽的作用，因此在合适的时机喷洒合适的生长调节剂，可以保持薯芋的品质。

没有土壤，我一样可以很健康

土壤是一种很珍贵的资源。植物需要在土壤中生长，各种矿产是从土地中产出的，因此我们会亲切地称大地为"母亲"。但土壤资源毕竟是有限的，随着开发力度加大，土壤资源越来越紧缺，而种植业作为一种传统产业，是否可以改变对土壤的依赖呢？

我们还是先看看土壤对植物来说都有哪些影响吧。种子发芽后，植物的根系开始钻到土壤中，吸收土壤中的水分和各种营养元素，然后传送到枝叶，促进植物生长。要想采用无土栽培技术，必须能够提供给植物生长所需的水分和养分。那首先来试试水培技术吧。

其实水培技术很简单，就是将植物的根系直接浸泡在水中，与此同时也要保证茎叶浮在水面上。但仅仅有水是不够的，还需要营养液，将对植物生长影响最大的氮、磷、钾等元素按照一定比例混合，溶解在水中，植物吸收着各种营养就可以成长。

不过，单独水培存在一个问题：比较小的植株固定在水培容器中比较容易，但是那些大型植物就很难单独固定了。因此对于大型植物的无土栽培，就需要考虑一些其他基质。

取代土壤的基质分为有机基质和无机基质。有机基质有泥炭、稻壳、树皮等，无机机质有蛭石、珍珠岩、岩棉、陶粒、沙砾、海绵土等。将植物的根系固定在这些基质中的同时搭配营养液，

图 6-7　美观的水培植物

就可以实现大型植物的无土栽培。可能你会问：为什么还需要搭配营养液？其实答案很简单，这些基质仅能取代土壤对植株的固定作用，在营养元素含量方面是远远比不上天然土壤的，尤其是那些无机基质。因此，在使用这些基质栽培大型植物的同时，还要搭配营养液。

懂得了无土栽培的原理后，很多人都开始尝试水培。如果你对此感兴趣，也赶快来尝试一下吧。

图 6-8 大棚中的水培番茄

植物工厂不再是梦想

植物既然可以脱离土壤,在人工光照下生长,那么植物可以完全脱离外部环境实现在室内栽培吗?科学家已经给了我们答案,这个答案就是"植物工厂"。

植物工厂是指通过设施内高精度环境控制实现农作物周年连续生产的高效农业系统,是一种利用计算机、电子传感系统、农业设施对植物生长的温度、湿度、光照、二氧化碳浓度以及营养液等环境条件进行自动控制,使设施内植物生长发育不受或很少受自然条件制约的省力型生产方式。

1957 年,丹麦建成了第一家植物工厂。1974 年,日本等国也逐步发展起来。2004 年,中国农业大学开发了利用嵌入网络式环境控制的人工光型密闭式植物工厂。

植物工厂是现代设施农业发展的高级阶段，是一种高投入、高技术含量、精装备的生产体系，集生物技术、工程技术和软硬件系统技术于一体，使农业生产从自然生态束缚中脱离出来，按计划周年性不间断地进行植物产品生产的工厂化农业系统，是农业产业化进程中吸收应用高新技术成果最具活力和潜力的领域之一，是未来农业的发展方向。

植物工厂一般需要一个洁净的栽培空间，室内外空气交换通过带有空气过滤装置的空调来实现，温度、湿度、二氧化碳浓度等数据都可进行监控。植物工厂可以给植物提供适合生长的系统环境设备，能大幅提高农产品的数量和质量。

植物工厂以节能 LED 植物生长灯为光源，采用制冷—加热双向调温控湿、光照—二氧化碳耦联光合与气肥调控、营养液在线检测与控制等相互关联的控制子系统，可实时对植物工厂的温度、

图 6-9　智能化管理下的植物工厂

第6章
享受健康的绿色生活

湿度、光照、气流、二氧化碳浓度以及营养液等环境要素进行智能化管理。

植物工厂是彻底改变传统农业的一种生产方式,让农业生产不局限于春种秋收。

小小生态瓶,容纳大世界

你能做一个小小的密封生态系统吗?

生态瓶,就是将少量的植物、以这些植物为食的动物和其他非生物物质放入一个密闭的广口瓶中,形成的一个人工模拟的微型生态系统。

图 6-10　有趣的生态瓶

161

科学在身边

美国科学家汉生发现细小的盐水虾、藻类和蜗牛可以在一个封闭系统内生存很长一段时间。这三种生物体在这封闭的系统内形成一个共生自足的"微型世界"。

小小生态瓶实际上是地球生态系统的一个缩影，其制作方法如下：首先，准备一只透明干净的广口玻璃瓶（或者塑料瓶）。然后，取一些沙子和小石子，除去其中的尘土和脏物，铺在瓶子底部，为那些靠吃死烂植物或动物排泄物为生的细菌提供一个寄宿的场所。然后将自来水放在阳光充足的地方晒两天以上，再灌入瓶中。接着，在瓶子里"种"上几棵有根的水草，并在水面放一些浮萍。最后，把田螺、小鱼、小虾等放进生态瓶中。

但是，鱼在刚进入生态瓶的时候是很容易死的，按理说生态瓶最初的水质最好，鱼为什么却这么容易死呢？其实这是由鱼不能马上适应新环境而造成的，大多数鱼都对水温的突然变化十分敏感，被突然换到不同温度的水中后，很难马上适应。因此，将鱼放进生态瓶也是有讲究的。你可以在鱼原来所在的水缸中没入一个塑料袋，先将鱼转移到这个塑料袋中，然后将水连鱼一起转移到生态瓶中。一个生态瓶中到底放几条鱼合适呢？生态瓶中放养的鱼的数量和生态瓶中水的体积及鱼在水中可获取的氧气量直接相关。如果养的是金鱼，那么每4升水适合放两三条金鱼。如果有鱼浮在生态瓶的水面不断地"喘气"，就表明水中没有足够的溶解氧，要么是水质出问题了，要么就是放入的鱼太多了。

有了这种生态瓶，我们就能在自己的房间中放入一个微观世界了。

第6章
享受健康的绿色生活

图6-11 小小生态瓶，容纳大世界

嫁接出的新植物

你是否听说过一棵果树上能长十几种甚至四十几种果实？你一定会问，这是什么品种的果树？其实这是一种植物的繁育技术，跟果树品种没有任何关系，叫作嫁接。

嫁接就是把一种植物的枝或芽移植到另一种植物的根或茎上，使接在一起的两种植物长成一棵完整的植株，这就像是植物界的"器官移植"。在实际应用中嫁接对植物的经济价值影响很大，例如通过嫁接手段培育出的金叶水杉比普通水杉的经济价值要高出

163

科学在身边

图6-12 嫁接的植株

20多倍。

嫁接对于水果的品质影响也很大。比如苹果，如果想多培育一些口感和外观俱佳的苹果树，该怎么办呢？也许你会说，这还不简单，把一棵品质好的苹果树上结的种子种进土里去不就好了。真的是这样吗？其实不然，即使通过这种方法种植出的新果树的果子外观和原株的再相近，味道也很难完全一样。那么如何才能多多培育这种口感和外观都高品质的水果呢？这就要靠嫁接技术了。

嫁接的植株抗病能力较强。比如说用黑籽南瓜嫁接的黄瓜，可以有效地防治黄瓜的枯萎病；而将茄子嫁接到番茄上之后，可以较好地控制黄萎病的发生。嫁接也可以克服连作危害。还是以黄瓜为例，黄瓜的根系脆弱，如果连作，极易受到土壤积盐和一些有害物质的侵害，如果将黄瓜嫁接到黑籽南瓜上，能够大大减轻土壤积盐和有害物质对植物的侵害。

如此神奇的嫁接技术是怎么被研究出来的呢？这就要追溯到很久以前了。我们的祖先发现，相邻的树木因为相互摩擦而损伤之后，会彼此贴近直至最后连接起来。而我们的祖先还给这种现象起了个好听的名字，叫作"木连理"。在北魏的《齐民要术》中就有对果树嫁接技术详细的记载和描述，包括嫁接的时机以及如何保证嫁接的成活率等。

虽然嫁接技术起源很早，但真正用科学的方法研究嫁接技术的时间仅100多年。如果你对嫁接技术感兴趣，也不妨买几本嫁接方面的技术指导书自己尝试一下，说不定能研究出又一个植物新品种呢。

植物细胞工程

现代农业的技术变革不仅存在于宏观世界中，还存在于微观世界中。和植物细胞有关的各种技术也在不断改变着现代农业的面貌。

到了夏天，大家都喜欢吃西瓜，但吐西瓜籽又很麻烦，如果西瓜没有籽就好了。于是科学家开始了这方面的研究。普通的西

科学在身边

瓜是二倍体，也就是说西瓜的体细胞中含有两个染色体组，西瓜细胞通过减数分裂形成单倍体生殖细胞，这些单倍体生殖细胞相互结合之后就形成了西瓜籽。为了研制出无籽西瓜，科学家用秋水仙素对二倍体西瓜进行处理，研制出四倍体西瓜，四倍体西瓜经过减数分裂形成二倍体的生殖细胞，然后，将四倍体西瓜和二倍体西瓜进行杂交，生成三倍体西瓜。这种三倍体西瓜在减数分裂时无法生成正常的生殖细胞，自然也就无法通过授粉产生种子，于是我们就可以品尝到无籽西瓜了。

对于一些品质特别好的植株，我们自然想把它们保存下来并大量生产。传统的繁育方式不仅需要较长时间，而且有时繁育出来的子代植株并不完全具有母代的品质。如果植物也可以"复制粘贴"就好了。于是科学家们就发明了这种"复制粘贴"技术。科学家们对植物已经分化好的组织进行再分化，也就是说，仅需要一棵品质优良的母体植株的几片叶子，就可以通过分化和组培

图 6-13　无籽西瓜

来培育出千万棵具有相同基因的优良植株了。

将农场送向太空

自从人造卫星问世以来，科学家们就开始了在太空建设绿洲的尝试，并实施太空"种植技术"计划。目前，空间站中已试种和培育了豌豆、小麦、玉米、稻谷、洋葱、兰花、郁金香等100多种植物。种植结果表明，在太空种植的植物要比在地球上生长得快、成熟得早。

在太空农场中，植物可以在沙土或泡沫中生长，也可以悬在空中，只要有水和养分的供给，它们就可以在太空中存活、发育和生长。

美国在太空实验室和航天飞机上进行过种植松树、燕麦、绿豆等植物的试验，发现在失重条件下，这些植物的生长不仅没有受到影响，而且蛋白质含量更高。

中国在这方面的研究也不落后，自2004年起，北京航空航天大学刘红教授团队瞄准国家载人深空探测的重大需求，怀揣着月球梦，开启了"月宫一号"试验。"月宫一号"是能与地球媲美的微型生物圈，可实现航天员在远离地球的太空中长期生活的目标。"生物再生生命保障系统"是基于生态系统原理将生物技术与工程控制技术有机结合，构建由植物、动物、微生物组成的人工生态系统，人类生活所必需的物质在系统内循环再生，为人类提供类似地球生态环境的生命保障。

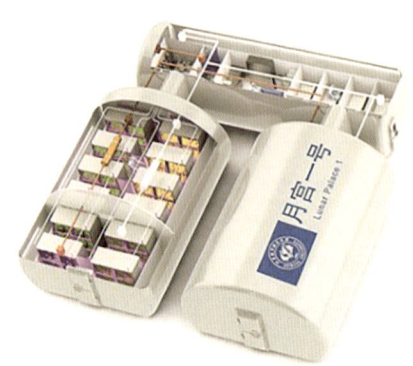

图 6-14　"月宫一号"外观示意图

在"月宫一号"的生物再生生命保障系统中，栽培了粮食作物、蔬菜和水果，饲养了动物（黄粉虫），以及用来降解有机物的微生物。植物不仅能给宇航员提供食物，还可以通过光合作用产生氧气、通过蒸腾作用获得纯净的饮用水。植物中人不食用的部分，如作物的秸秆、蔬菜的老叶败叶等，可以用来饲养动物，为宇航员提供优质的蛋白和更合理的氨基酸配比。最后，剩下的植物不可食部分、人体的排泄物、生活垃圾等，进入微生物降解环节。微生物可以分解被固定的碳，变成二氧化碳进入空气中，重新被植物利用进行光合作用；从尿液中回收水、氮素以及经过生物净化后的废水，可以用于灌溉培养植物。这样，"月宫一号"里物质的闭合循环就形成了。